POLYGLOTT-REISEFÜHRER

Madrid Zentralspanien

Mit 29 Illustrationen sowie 12 Karten und Plänen

POLYGLOTT-VERLAG
MÜNCHEN

Herausgegeben von der Polyglott-Redaktion
Verfasser: Wilhelm Voss-Gerling
Zeichnungen: Vera Solymosi-Thurzó
Karten und Pläne: Ferdinand Helm
Umschlag: Prof. Richard Blank

★

Wir danken den Büros des M. I. T. in Madrid, Toledo, Burgos, Ávila, Segovia, Badajoz und Cáceres und dem Spanischen Verkehrsamt in München für die bereitwillig gewährte Unterstützung.

Ergänzende Anregungen, für die wir jederzeit dankbar sind, bitten wir zu richten an: Polyglott-Verlag, Redaktion, 8 München 40, Postfach 40 11 20

Alle Angaben (ohne Gewähr) nach dem Stand März 1973.

★

Zeichenerklärung:

Erstklassige Hotels — Gute Hotels

Einfache Hotels, Gasthöfe und Pensionen

△ Jugendherbergen — © Campingplätze

Eisenbahnverbindungen — Autobusverbindungen

Schiffsverbindungen — Flugverbindungen

★

Aussprache des Spanischen:

c vor *a*, *o*, *u* wie k, vor *e* und *i* wie scharfes englisches th

g vor *a*, *o*, *u* wie g, vor *e* und *i* wie ch in Krach

ch wie tsch

gue, *gui* wie ge, gi

j wie ch in Krach

ll wie lj

ñ wie nj

qu wie k

s wie ß in Maß

v wie w

y wie j (am Wortende wie i)

z wie scharfes englisches th

b wird sehr weich, oft fast wie w gesprochen

d wird am Wortende kaum oder gar nicht gesprochen

r ist ein gewöhnliches, *rr* ein stark gerolltes Zungen-r

h ist immer stumm. Die *Vokale* sind stets kurz auszusprechen.

Betont werden die Worte auf der vorletzten Silbe, wenn sie auf Vokale, auf n oder s enden (Granada, Linares), auf der letzten, wenn sie auf andere Konsonanten enden (Jerez); Ausnahmen werden durch den Akzent bezeichnet (Málaga).

★

3. Auflage 1973

Printed in Germany / Druckhaus Langenscheidt, Berlin / Bn. IV. Lc.
ISBN 3-493-60779-2

Madrid: Plaza de la Cibeles und Calle de Alcalá

Land und Leute

In diesem Reiseführer wird die spanische *Meseta* behandelt. Mancher Leser wird mit dem Begriff Meseta zunächst wenig oder gar nichts anzufangen wissen. Aber der Titel „Madrid/Zentralspanien", der im Grunde dasselbe meint wie die Bezeichnung Meseta, macht bereits einigermaßen deutlich, wo die Meseta liegt. Wenn man nun noch erfährt, daß Städte wie *Salamanca*, *Toledo*, *Ávila* und *Burgos* zur Meseta gehören, dann verbindet sich mit dem Begriff Meseta allmählich eine konkrete Vorstellung. Es wird dann aber auch klar, daß die in diesem Reiseführer beschriebenen Städte und Landschaften keines der in aller Welt berühmten Touristengebiete bilden, zum mindesten kein Erholungsgebiet im üblichen Sinne, wie es etwa die spanischen Mittelmeerküsten sind. Aber man erinnert sich vielleicht nun doch auch der einen oder anderen Attraktion der Meseta. Man erinnert sich des *Prados* in *Madrid*, des Klosterschlosses *Escorial*, des römischen *Aquädukts* von *Segovia*, der mittelalterlichen *Stadtmauern* von *Ávila*, der gotischen *Kathedrale* von *Burgos*, des im Spanischen Bürgerkrieg berühmt gewordenen *Alcázars* von *Toledo*, der Landschaft *Mancha*, in der *Miguel de Cervantes* den *Don Quijote* und dessen Gefährten *Sancho Pansa* leben läßt.

Setzt man diese Erinnerungsstücke zu einem Gesamtbild zusammen, so erkennt man, daß Madrid/Zentralspanien vor allem ein Reiseziel für Bildungsreisende ist, für alle jene, denen es in erster Linie um Bau- und Kunstdenkmäler geht. Trotz allem Übergewicht der Bildungselemente, das einer Reise nach Madrid/Zentralspanien zuerkannt werden muß, ist es aber keineswegs so, daß eine solche Reise nicht auch eine Erholungsreise sein könnte. Das ist nicht nur im Sinne des Bildungsreisenden gemeint, für den ja der Besuch von Bau- und Kunstdenkmälern bereits Erholung bedeutet, es gilt vielmehr auch für denjenigen, der Besichtigungen eher als Anstrengung denn als Erholung empfindet, ihnen aber dennoch nicht ganz aus dem Weg gehen möchte. Bei passender Gelegenheit wird auf die Möglichkeiten hingewiesen, die Madrid/Zentralspanien auch dem Entspannung suchenden Reisenden zu bieten vermag. Es sind naturgemäß sehr begrenzte Möglichkeiten.

Lage, Grenzen, Größe

Die Meseta nimmt etwa die Mitte der *Iberischen Halbinsel* ein und ist rings von Gebirgen umgeben (siehe unten). In ihrer Ausdehnung entspricht sie ziemlich genau den historischen Landschaften *León*, *Altkastilien*, *Extremadura* und *Neukastilien*. Diesen Landschaften entsprechen die heutigen Provinzen *León*, *Zamora*, *Salamanca*, *Cáceres*, *Badajoz*, *Palencia*, *Valladolid*, *Ávila*, *Toledo*, *Ciudad Real*, *Burgos*, *Segovia*, *Madrid*, *Soria*, *Guadalajara* und *Cuenca*. Im Westen wird das Gebiet begrenzt von der spanischen Landschaft *Galicien* und von *Portugal*, im Süden von *Andalusien*, im Osten von *Murcia*, *Aragón* und *Navarra* und im Norden von *Asturien*. Mit 208 000 qkm macht das Gebiet gut 40% Spaniens aus und ist so groß wie die Bundesrepublik Deutschland ohne die Länder Hessen und Rheinland-Pfalz.

Bodengestalt, Gewässer

Die Meseta — Herkunft von *mesa* = „Tisch" — ist eine riesige Hochfläche, die von der *Sierra de Guadarrama* in die Nord- und die Südmeseta geteilt wird. Die *Sierra de Guadarrama* ist eigentlich nur ein Teil der von Nordost nach Südwest ziehenden *Cordillera Central* (Hauptscheidegebirge), ihr Name wird aber gern für das ganze Scheidegebirge benutzt. In der *Sierra de Gredos* (südwestlich von *Ávila*) erreicht das Scheidegebirge seine größte Höhe (*Almanzor*, 2592 m). Die Nordmeseta liegt im Durchschnitt 800 bis 850 m, die Südmeseta 500—700 m hoch. Die beiden Teile der Meseta berühren sich im Nordosten des Scheidegebirges, in der etwa 1100 m hoch gelegenen sogenannten *Hesperischen Meseta*.

Die gesamte Meseta ist von Gebirgen umgeben, die aber zu einem wesentlichen Teil wegen ihrer geringen Höhe oder wegen ihres nur sehr sanften Anstiegs als Gebirge kaum in Erscheinung treten. Es handelt sich im Süden um die *Sierra Morena*, im Osten um die

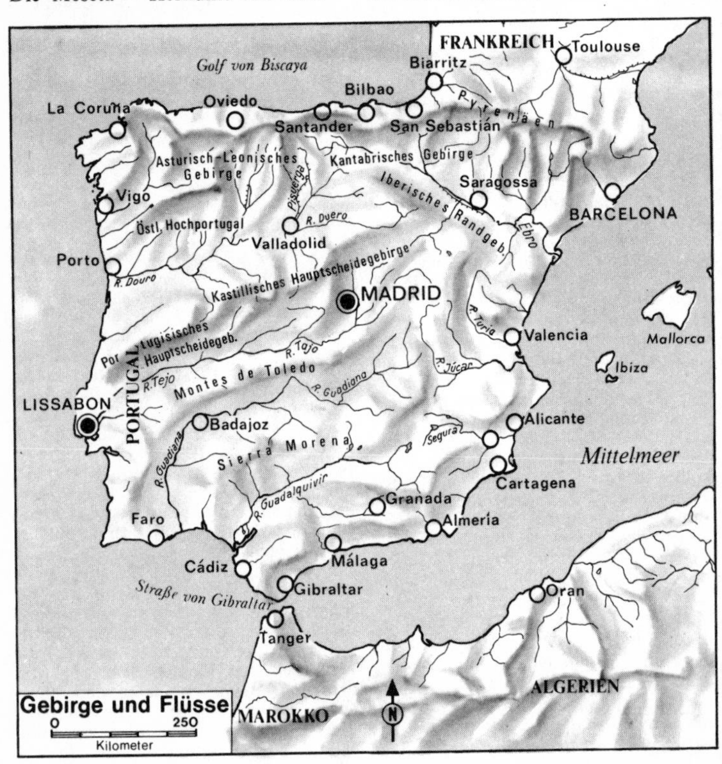

Cordillera Ibérica (Iberisches Randgebirge), im Norden um das *Kantabrische Gebirge* und das am stärksten Gebirgscharakter aufweisende *Asturisch-Leonesische Gebirge*, im Westen schließlich um das *Nordportugiesische Bergland* und weiter südlich beiderseits des *Guadiana* um einige unbedeutende Höhenzüge.

Die Nordmeseta wird von Ost nach West vom *Duero* durchflossen, einem der größten Flüsse der Iberischen Halbinsel. Er entwässert die gesamte Nordmeseta und steht mit einem Entwässerungsareal von knapp 100 000 qkm an der Spitze der iberischen Flüsse. Die Wasserführung des Duero und die fast aller seiner Nebenflüsse ist allerdings nicht sehr bedeutend.

Die Südsemeta wird von einigen in Ost-West-Richtung verlaufenden Höhenzügen, die in ihrer Gesamtheit meist *Montes de Toledo* genannt werden, in zwei Becken geteilt. Das nördliche Bekken durchfließt der *Tajo*, das südliche der *Guadiana*. Die Landschaft *Mancha*, die zum größten Teil zum Einzugsgebiet des Guadiana gehört, greift im Osten über die iberische Hauptwasserscheide (die Wasserscheide zwischen Atlantik und Mittelmeer) in den Einzugsbereich des dem Mittelmeer zufließenden *Júcar* hinein. Im übrigen wird die gesamte Meseta zum Atlantik hin entwässert.

Klima

Auf der Meseta herrscht Kontinentalklima vor, das aber keineswegs auf der ganzen Meseta gleich ist. Ein sehr einheitliches Klima besitzt die Nordmeseta, die durch Randgebirge gegen die Meere völlig abgeschlossen ist. Dieses Klima ist — nicht nur vom touristischen Standpunkt aus gesehen — wenig günstig. Der Winter mit Temperaturen von weniger als 5° C dauert annähernd zwei Monate, und im Frühling, der in der ersten Februarhälfte zu beginnen pflegt, steigen die Temperaturen so langsam an, daß die Mandelblüte, die in den klimatisch günstigsten Gegenden Spaniens schon in der ersten Januarhälfte einsetzt, hier erst im Laufe des März, und zwar vorwiegend in der zweiten Monatshälfte, beginnt. Fröste können den größten Teil des Jahres über auftreten, und das am Südrand der Nordmeseta gelegene *Ávila* (1130 m) gilt nur im Juli und August als absolut frostfrei. Diesen Temperaturen stehen die hohen Temperaturen des Sommers, der von Mitte Mai bis Mitte Oktober dauert, gegenüber. In diesen Monaten steigt die Quecksilbersäule auf über 30° C an; im August liegt die mittlere Höchsttemperatur bei 29° C. Die Niederschläge sind besonders im Kerngebiet der Nordmeseta gering; nach den Randgebirgen hin nehmen sie zu. Im Sommer gibt es drei bis fünf Trokkenmonate mit Niederschlagshöhen unter 30 mm.

In der Südmeseta sind in klimatischer Hinsicht die Becken des Tajo und des Guadiana und die Mancha zu unterscheiden. Der westliche Teil des Tajobeckens ist ozeanischen Einflüssen unterworfen; daher ist das Klima hier ausgeglichener als im östlichen Teil, der Kontinentalklima hat. Das Klima im östlichen Teil des Tajobeckens, zu dem auch Madrid gehört, weist sehr starke Schwankungen zwischen Tages- und Nachttemperaturen auf. In Madrid betragen sie im Juli bis zu 15° C. Die durchschnittliche Höchsttemperatur wird in Madrid im August erreicht (30,5° C). Im Sommer gibt es drei bis fünf Trockenmonate (in Madrid vier), in denen die Niederschlagshöhen bei nur 5—7 mm liegen. Der Winter bringt Schneefall; so hat Madrid im Jahresdurchschnitt etwa 5 Tage, das nur 45 km von Madrid entfernte, aber rund 300 m höher gelegene San Lorenzo del Escorial sogar etwa 13 Tage mit Schneefall.

Das Guadianabecken läßt sich in klimatischer Hinsicht ähnlich wie das Tajobecken in einen atlantisch beeinflußten Westteil und einen kontinentalklimatischen Ostteil gliedern. Die Temperatur- und Niederschlagsverhältnisse ähneln trotz mancher Abweichungen sehr denjenigen des Tajobeckens. Der wesentlichste Unterschied besteht darin, daß die Trockenperiode hier noch länger ist als im Tajobecken.

Das Klima der Mancha endlich ist noch weit mehr als das der übrigen Meseta durch die erheblichen Temperaturschwankungen gekennzeichnet. Die Mancha weist neben einigen Teilen des Ebrogebietes das extremste Kontinentalklima auf der Iberischen Halbinsel auf. Der durchschnittliche Unterschied zwischen den Januar- und den Augusttemperaturen liegt bei bis zu etwa 23° C. Der höchste bisher festgestellte Unterschied liegt bei 56° C. Kaum weniger stark sind die Tagesschwankungen; sie betragen bis zu 21° C. Die Niederschläge sind sehr gering (Jahresdurchschnitt unter 400 mm). In vielen Teilen der Mancha bringt der August nur 1—2 mm Niederschlag; in den übrigen Trockenmonaten ist die Niederschlagsmenge nur unwesentlich höher. Die Mancha ist daher ein äußerst trockenes und in den Trockenmonaten sehr staubiges Gebiet.

Flora

Die natürliche Vegetation, die durch die Nutzbarmachung des Bodens hier und da mehr und mehr zurückgedrängt wurde und wird, besteht hauptsächlich aus verschiedenen Arten immergrüner Eichen, aus Macchien und Garriguen. Zu den Gewächsen der Macchien und Garriguen gehören Stachelgewächse, Rosmarin, Lavendel, Baumerika, zahlreiche Arten von Ginster, Thymian und Seidelbast. Unter den Eichen herrschen die Lusitanische Eiche, die Filzblättrige Eiche, die Steineiche und nach Westen hin in zunehmendem Maße die Korkeiche vor.

Neben die Eichenbestände treten mehr und mehr Kiefernbestände, mit deren Anpflanzung man sich seit einigen Jahrhunderten befaßt. Eines der größten, ältesten (Beginn der Anpflanzung zur Zeit Kaiser *Karls V.*) und ertragreichsten (Pinienkerne und Harz) dieser Waldgebiete liegt südöstlich von *Valladolid* zwischen *Medina del Campo* und dem *Río Duratón*. Die Nordmeseta führt überhaupt, was Aufforstung anbelangt, eindeutig vor der Südmeseta und der Mancha, die noch weithin baumlos sind.

Bevölkerung

In dem 208 000 qkm großen Gebiet, das in diesem Reiseführer beschrieben wird, leben rund 9 Millionen Menschen. Das sind rund 28 % der spanischen Bevölkerung. Auf gut 40 % der Bodenfläche Spaniens leben also nur rund 28 % der Bevölkerung. Bedenkt man, daß von den 9 Millionen rund 3 Millionen in Groß-Madrid wohnen, dann wird bereits klar, daß die Bevölkerungsdichte nur gering sein kann. Tatsächlich liegt die Bevölkerungsdichte aller Provinzen Zentralspaniens (im Falle der Provinz Madrid wird die Stadt Madrid ausgeklammert) weit unter derjenigen Spaniens, die 63,4 je qkm beträgt. Dieser Dichte kommt die Provinz Valladolid mit 44,3 am nächsten. Die Provinzen Soria (14,3), Guadalajara (15,1) und Cuenca (18,5) gehören sogar zu den am dünnsten besiedelten Provinzen Spaniens. Die durchschnittliche Bevölkerungsdichte Zentralspaniens — Madrid ausgeklammert — beträgt knapp 29 (das am dünnsten besiedelte Land der Bundesrepublik Deutschland ist Niedersachsen mit 147 Einwohnern je qkm).

Während der Anteil der städtischen Bevölkerung in ganz Spanien 42,5 % beträgt, leben in Zentralspanien — Madrid wiederum ausgeklammert — nur etwa 21,2 % der Bevölkerung in Städten. Den höchsten Anteil an städtischer Bevölkerung haben außer der Provinz Madrid die Provinzen Ciudad Real mit 43,2 % und Valladolid mit 40,5 %. Beide Provinzen sind aber als Sonderfälle anzusehen. In der Provinz Valladolid lebt die ganze städtische Bevölkerung in der Stadt Valladolid, und in der Provinz Ciudad Real sind es einige stadtähnliche Riesendörfer, in denen die „städtische" Bevölkerung wohnt. Überhaupt darf man bei der „städtischen" Bevölkerung nicht an die Bewohner von Großstädten denken. Außer Madrid ist nämlich nur Valladolid mit 172 000 Einwohnern Großstadt. Badajoz ist mit 97 000 Einwohnern auf dem besten Weg, Großstadt zu werden. Alle anderen Provinzhauptstädte und sonstigen Städte sind vorerst noch Klein- oder Mittelstädte. Es ist allerdings nicht zu verkennen, daß hier und da die zunehmende Industrialisierung oder umfangreiche Bonifikationen (Musterbeispiel Badajoz, siehe Seite 57) zu einem schnellen und beachtlichen Wachstum der Städte führt. Vorerst aber ist die Masse der zentralspanischen Bevölkerung noch Landbevölkerung.

Stammesmäßig sind die Bewohner Zentralspaniens *Kastilier*, und das bedeutet im Grunde: Spanier reinsten Wassers, denen im Osten die *Basken* und *Katalanen* gegenüberstehen, die sich aber auch von den *Andalusiern* im Süden und von den *Gallegos* im Nordwesten unterscheiden. Man kann die Kastilier als das Staatsvolk Spaniens bezeichnen. Ihr Land ist die Wiege Spaniens, ihre Sprache, das *Castellano*, ist die reinste und vollendetste Form des Spanischen, das Spanische schlechthin, ihr Stolz ist gemeint, wenn *Schiller* im „Don Carlos" den König sagen läßt: „Stolz will ich den Spanier". Kastilier waren der spanische Nationalheld *Rodrigo Díaz de Vivar*, genannt *el Cid*, die große Mystikerin *Theresia von Ávila*, *Francisco Pizarro*, der Entdecker und Eroberer *Perús*, der inbrünstige Barockmaler *Francisco de Zurbarán* und viele andere, von denen noch die Rede sein wird.

Wirtschaft

Es wurde schon angedeutet, daß Zentralspanien in erster Linie Agrarland ist. Über das ganze Gebiet ist der Weizenanbau verbreitet. Zuckerrüben werden auf der Nordmeseta und am Mittellauf des Tajo angebaut. Der Ölbaum ist fast nur auf der Südmeseta anzutreffen. Hier finden sich auch Obstbäume, die auf der Nordmeseta fast völlig fehlen. Wein wird in fast allen Teilen der Meseta angebaut, ein Gebiet besonders intensiven Weinbaus ist aber die engere und weitere Umgebung von *Valdepeñas* in der Mancha. Schafzucht auf der Nordmeseta und in der Mancha, Schweine-, Schaf- und Ziegenzucht im Guadianabecken und Rinder- und Schweinezucht im Tajobecken runden das Bild von der Landwirtschaft Zentralspaniens ab.

Im Norden Zentralspaniens herrschen Kleinbetriebe vor, die meist nur bis zu 5 ha groß sind. Südlich der Cordillera Central, besonders im Tajobecken, sind in erster Linie Großbetriebe anzutreffen, die oft weit über 5000 ha groß sind. Güter mittlerer Größe finden sich außer in der Provinz Madrid vor allem in den östlichsten Provinzen der Meseta.

Minerallagerstätten gibt es nur in den Randgebirgen Zentralspaniens. Von ihnen haben außer den Lagerstätten in der Sierra Morena lediglich die Kohlenvorkommen in den Provinzen León und Palencia größere Bedeutung.

Voraussetzung für die Entwicklung der Industrie war eine ausreichende Elektrizitätserzeugung. Darum — aber auch zu Bewässerungszwecken — wurden in den Einzugsbereichen des Duero, Tajo und Guadiana zahlreiche Stauseen angelegt, von denen einige ein Fassungsvermögen von mehr als 1500 Millionen cbm haben (*Cijara* am Mittellauf des Guadiana und *Buendía* am Oberlauf des Tajo). Trotzdem ist Zentralspanien von einer Industrialisierung noch weit entfernt. Am stärksten verbreitet sind die Nahrungsmittelindustrie (vor allem Zuckerfabriken auf der Nordmeseta) und die chemische Industrie. Außerdem sind die Textilindustrie und die in und um Madrid ansässige Zement-, Keramik- und Schwerindustrie zu nennen.

Verkehr

Der Mittelpunkt des spanischen Verkehrsnetzes ist Madrid. Von hier gehen die sechs großen *Carreteras radiales* aus, die durch die römischen Ziffern I—VI aus der Zahl der Nationalstraßen herausgehoben werden. Die *N. I* führt nach *San Sebastián*, die *N. II* nach *Barcelona*, die *N. III* nach *Valencia*, die *N. IV* nach *Sevilla/Cadiz*, die *N. V* nach *Badajoz* und die *N. VI* nach *La Coruña*. Neben diesen Zentralspanien durchziehenden Hauptstraßen gibt es ein trotz der geringen Bevölkerungsdichte verhältnismäßig enges Netz anderer Nationalstraßen und sonstiger Straßen, so daß Zentralspanien mit dem Auto recht gut kreuz und quer befahren werden kann.

Auch für das spanische Eisenbahnnetz ist Madrid der Mittelpunkt. Die sechs von Madrid ausgehenden Hauptlinien sind die *Linea del Norte* (San Sebastián), die *Linea del Nordeste* (Barcelona), die *Linea del Este* (Valencia), die *Linea del Sur* (Sevilla/Cadiz), die *Linea del Oeste* (Valencia de Alcántara/Lissabon) und die *Linea del Nordoeste* (La Coruña). Diese Hauptlinien verzweigen sich so, daß von Madrid aus alle wichtigen Hafenstädte Spaniens erreicht werden können. Über diese Hauptlinien hinaus gibt es in Zentralspanien nur sehr wenige Eisenbahnlinien. Dennoch ist es möglich, fast alle wichtigen Sehenswürdigkeiten Zentralspaniens mit der Eisenbahn zu erreichen.

Dem nationalen, internationalen und interkontinentalen Flugnetz ist Zentralspanien durch den Madrider Flughafen *Barajas* angeschlossen. Andere Flughäfen gibt es in Zentralspanien nicht.

Tourismus

In touristischer Hinsicht kann sich Zentralspanien mit den spanischen Küstenlandschaften, besonders mit den am Mittelmeer gelegenen, nicht messen. Es ist ein Gebiet, das der Tourist durchfährt, in dieser oder jener alten Stadt für einige Stunden, bestenfalls den einen oder anderen Tag verweilend. Selbst Madrid kann nur zu einem Aufenthalt von einigen wenigen Tagen verlocken, es sei denn, man beabsichtige einen sehr ausgedehnten Besuch der Madrider Museen, insbesondere des Prado. Aber die Zahl der durchreisenden Touristen (unter anderen der nach Portugal weiterfahrenden) und die Zahl der Teilnehmer an Spanienrundfahrten, zu deren Programm mindestens ein Besuch Madrids gehört, ist doch so groß, daß der Tourismus auch für Zentralspanien eine nicht geringe wirtschaftliche Bedeutung hat.

Geschichtlicher Überblick

Etwa 60 000—3000 v. Chr. An die Menschen, die in diesem Zeitraum in Zentralspanien gelebt haben, erinnern *Höhlenmalereien* in den Provinzen *Burgos* und *Guadalajara* (vor etwa 10 000 v. Chr.) und vereinzelte Funde aus der Zeit der Jäger- und frühen Bauernkulturen.

Ab etwa 2400 v. Chr. Die *Megalithkultur* (benannt nach den für sie typischen großen Steingräbern) verbreitet sich über ganz Spanien, scheint von Zentralspanien aber nur die Randgebiete stärker erfaßt zu haben. Aus dieser Zeit (bis ins 1. Jahrtausend v. Chr. hinein) sind *Höhlen-* und *Felsmalereien* in den Provinzen Badajoz, Burgos, Ciudad Real, Palencia, Salamanca und Segovia erhalten geblieben. Eine Weiterentwicklung der Megalithkultur ist die *Glockenbecherkultur* (benannt nach den glockenförmig geschwungenen Bechern), die in Zentralspanien entsteht, sich über weite Teile Europas verbreitet und den Übergang von der *Jungsteinzeit* zur *Bronzezeit* darstellt.

Ab etwa 1100 v. Chr. Während an der spanischen Mittelmeerküste *phönikische* und *griechische* Niederlassungen entstehen, die auf Zentralspanien keinen nachweisbaren Einfluß gehabt haben, wandern ab etwa 900 v. Chr. von Nordosten her *indogermanische* (ab etwa 600 v. Chr. *keltische*) Stämme und von *Afrika* her die den *Berbern* verwandten *Iberer* ein. In Zentralspanien vermischen sich Kelten und Iberer (Keltiberer). *Keltiberer* sind auch die *Lusitaner*, die außer dem Süden Portugals auch den Südwesten Zentralspaniens bewohnen.

3. Jh. v. Chr. Das Gebiet am Oberlauf des Guadiana gehört zum *karthagischen* Machtbereich, während sich die keltiberischen Stämme im übrigen Zentralspanien ihre Unabhängigkeit erhalten haben. In den *Punischen Kriegen* zwischen *Rom* und *Karthago* geht den Karthagern der spanische Besitz nach und nach verloren. Nach Beendigung der Punischen Kriege erobern die *Römer* schrittweise weite Teile des von den Karthagern nicht beherrschten Spanien.

Um 50 v. Chr. Ganz Zentralspanien gehört zum *Römischen Reich* und wird von der von Nord nach Süd verlaufenden Grenze zwischen den Provinzen *Hispania Citerior* und *Ulterior* in zwei annähernd gleich große Teile geteilt. Bei der wenige Jahrzehnte später erfolgten Neugliederung des Römischen Reiches durch Kaiser *Augustus* fällt der Osten und Nordwesten Zentralspaniens der kaiserlichen Provinz *Tarraconensis*, der Südwesten der ebenfalls kaiserlichen Provinz *Lusitania* zu. Im 4. Jh. n. Chr. wird diese Gliederung beseitigt: Ganz Spanien wird in der Diözese *Hispania* zusammengefaßt, die in fünf Provinzen gegliedert ist. Zentralspanien gehört zu den Provinzen *Tarraconensis* (Nordosten), *Carthaginiensis* (Südosten), *Lusitania* (Südwesten) und *Gallaecia* (Nordwesten).

Ab etwa 400 n. Chr. *Germanische* Stämme fallen in Spanien ein. Der größte Teil Spaniens, vor allem ganz Zentralspanien, bildet schließlich das *Reich der Westgoten*. Hauptstadt wird *Toledo*. Damit liegt das politische Zentrum Spaniens zum erstenmal in Zentralspanien.

711 Die *Araber* (*Mauren*) vernichten das Reich der Westgoten, Toledo wird erobert, an seiner Stelle wird *Córdoba* Hauptstadt. Die Araber dringen nach und nach bis in die Nähe des Duero vor. Südlich des Duero bildet sich ein Grenzstreifen zwischen dem arabisch-moslemischen Spanien im Süden und dem christlichen Spanien im Norden.

9.—10. Jh. Infolge innerer Auseinandersetzungen im maurischen Spanien können sich die kleinen christlichen Königreiche im Norden festigen. Das Königreich *Asturien* weitet sich aus zum Königreich *León* mit der Hauptstadt *León*. Das aus zahlreichen kleinen Grafschaften bestehende Gebiet *Kastilien*, das seinen Namen von den vielen *Castillos* (Burgen) erhalten haben soll, wird von *Fernán González* zu einer großen Grafschaft Kastilien mit der Hauptstadt *Burgos* vereinigt.

11. Jh. Das maurische Spanien löst sich in eine große Zahl kleiner Königreiche auf. Zu diesen gehören unter anderen die Königreiche *Toledo* und *Badajoz*. Unter Ausnutzung der Schwäche dieser kleinen Königreiche dringt König *Ferdinand I.* von Kastilien und León (die Vereinigung dieser beiden Reiche ist nur vorübergehend) gegen Süden vor und entreißt den Mauren das ganze heutige *Neukastilien*, Eroberungen, die von seinem Sohn *Alfons VI.* gesichert und weiter ausgedehnt werden. Damit hat die über

400 Jahre (bis 1492) dauernde *Reconquista*, die Rückeroberung Spaniens durch die Christen, begonnen.

1230 *Ferdinand III.* von Kastilien vereinigt durch Erbschaft das Königreich León endgültig mit dem Königreich Kastilien. Er erobert außerdem die maurischen Gebiete um *Mérida* und *Badajoz*. Damit ist ganz Zentralspanien in der Hand der Könige von Kastilien vereinigt. Die Eroberungen Ferdinands III. greifen aber weit über Zentralspanien hinaus und erstrecken sich auch über den größten Teil Andalusiens. Nur das Königreich *Granada* bleibt maurisch.

13./14. Jh. Aufstände des Adels erschüttern das Königreich Kastilien. König *Pedro I.* verlegt 1349 seine Residenz von *Valladolid*, das um 1200 Hauptstadt Kastiliens geworden war, nach *Sevilla*. Nach seinem Tod wird aber Valladolid wieder Residenz.

1469 *Isabella von Kastilien* heiratet *Ferdinand von Aragonien*; mit dieser Heirat wird der Zusammenschluß der beiden Königreiche vorbereitet. Isabella und Ferdinand, die sogenannten „Katholischen Könige", erobern 1492 Granada und machen so der maurischen Herrschaft in Spanien ein Ende. Im Zusammenhang damit verfügen sie die Vertreibung aller Juden aus Spanien. Zur Zeit der Regierung Isabellas und Ferdinands entdeckt *Christoph Kolumbus* Amerika. Damit ist die Grundlage für das spanische Weltreich geschaffen.

1516 Prinz *Karl* erbt Aragonien, das Königreich seines Großvaters *Ferdinand*, und *Kastilien*, das Königreich seiner Mutter, *Johanna der Wahnsinnigen* (Tochter Isabellas und Ferdinands), und wird der erste König (*Karl I.*) des vereinigten Spaniens (außerdem als *Karl V.* 1519 deutscher Kaiser).

1561 *Madrid* wird Hauptstadt des Königreichs Spanien und bleibt es bis auf die kurze Unterbrechung von 1601—1607.

1700 Die *spanischen Habsburger* sterben mit *Karl II.* aus. Es kommt zum *Spanischen Erbfolgekrieg* (1700—1713), in dem die *österreichischen Habsburger* und die *französischen Bourbonen* ihre Erbansprüche geltend machen. Kastilien und Madrid ergreifen die Partei des französischen Bourbonenprinzen, der dann auch tatsächlich 1713 als *Philipp V.* endgültig den spanischen Thron besteigen kann.

1808 *Murat* erobert Madrid und zwingt den Spaniern *Napoleons* Bruder *Joseph Bonaparte* als König auf. Das führt zu einem Aufstand besonders der Bevölkerung von Madrid und dann zu einem bis zum Jahr 1814 dauernden Unabhängigkeitskampf der Spanier gegen die Franzosen.

19. Jh. Der von den spanischen Königen vertretene Absolutismus und Zentralismus (dieser richtet sich besonders gegen jede Autonomie der *Katalanen* und *Basken*) führt zu liberalen und föderalistischen Bewegungen, die eine starke Unruhe in das politische Leben bringen, aber erst gegen Ende des 19. Jh. einige mäßige Erfolge aufweisen können. Ein weiterer Unruhefaktor sind die Auseinandersetzungen zwischen der regierenden Linie des Hauses Bourbon und den *Karlisten* (*Karlistenkriege;* beide Linien erheben noch heute Ansprüche auf den spanischen Thron).

1869 In Spanien entsteht eine Sektion der *Sozialistischen Internationale*. In Kastilien sind ihre Mitglieder *Marxisten*, außerhalb Kastiliens, vor allem in Katalonien, *Anarchisten*.

1931 Nach Jahrzehnten der Unzufriedenheit mit der Monarchie bringen die Wahlen des Jahres 1931 in den großen Städten, auch in Madrid, einen überzeugenden Sieg der *Republikaner*. König *Alfons XIII.* verläßt das Land, ohne jedoch formell abzudanken.

1936 Die *Frente Popular* (Volksfront) kommt durch einen Wahlsieg an die Macht. Ihr revolutionäres Programm führt binnen kurzem im ganzen Land zu fast anarchistischen Zuständen. In der rücksichtslosen Auseinandersetzung mit der Opposition kommt es schließlich 1936 zur Ermordung des Oppositionsführers *Calvo Sotelo*. Dieser Mord löst Meutereien in zahlreichen Garnisonen und damit den *Bürgerkrieg* aus.

1936—39 Fast ganz Spanien steht auf der Seite der *Nationalisten* (*Franco*). Barcelona und vor allem Madrid sind die Zentren des Widerstandes. Der Kampf um Madrid dauert 28 Monate. Die beträchtlichen Zerstörungen, die während des Bürgerkrieges in Madrid (und einigen anderen Städten) angerichtet wurden, sind heute fast völlig beseitigt.

1967 Mit der *Ley Orgánica del Estado* wird die seit 1939 gewordene Staatsordnung gesetzlich geregelt.

Kunst und Kultur

Von der Kunst des vorgeschichtlichen Menschen vermitteln die auf Seite 8 erwähnten *Höhlen-* und *Felsmalereien* eine Vorstellung. Es handelt sich vorwiegend um die Darstellung (vielfach Gravierungen) von Tieren und maskierten Menschen.

Plastiken aus *iberischer* und *keltiberischer* Zeit sind in Madrid im *Museo Arqueológico Nacional* (siehe Seite 24) zu sehen. Sie stammen allerdings nur zu einem recht kleinen Teil aus Zentralspanien.

In *Segovia* und *Mérida* sind einige großartige Zeugen römischer Baukunst erhalten geblieben. In Segovia ist es der mächtige *Aquädukt*, in Mérida vor allem die Brücke über den Guadiana und das *Theater*.

Die Kunst der *Westgoten* ist mit Bauwerken und Schmuck vertreten. Die eindrucksvollsten Bauwerke sind die Kirche *San Juan Bautista* (661) in *Venta de Baños* (siehe Seite 45) und die Kirche (Ende 7. Jh.) in *San Pedro de la Nave* (26 km nordwestlich von Zamora, siehe Seite 62). Im Museo Arqueológico Nacional in Madrid befindet sich der sogenannte „Schatz von Guarrazar" (*Guarrazar* ist ein kleiner Ort in der Nähe von Toledo), zu dem vor allem Weihekronen und Kreuze der westgotischen Könige *Svintila* (621—631) und *Reccesvinth* (649—672) gehören.

Nach dem Einfall der *Araber* (*Mauren*) kam es in Zentralspanien zu unterschiedlichen Kunstentwicklungen. Im maurischen Teil Zentralspaniens setzte sich die *hispano-maurische* Kunst durch, im christlichen Teil begann die Entwicklung über die *Vorromanik* zur *Romanik*.

Hispano-maurische Kunst

Die Kunst des Islams erfuhr in Spanien eine Veränderung, die zum Teil auf die westgotische Kunst, später auf die sich allmählich entwickelnde romanische Kunst zurückging. Es entstand der *mozarabische* Stil, aus maurischen und frühromanischen Elementen gemischt, gepflegt in erster Linie von den von den Mauren unterworfenen Christen. Später entstand der *Mudéjarstil*, ebenfalls ein Mischstil, der seinen Namen von den *Mudéjaren* hat, von den Mauren, die von den Christen die Erlaubnis erhalten hatten, in den von den Christen zurückeroberten Gebieten zu bleiben. Der Mudéjarstil wurde als Bau- und Dekorationsstil aber nicht nur von den Mudéjaren, sondern auch von christlichen Baumeistern angewandt. Während der Blütezeit dieses Stils (14. Jh.) überwogen die maurischen Elemente (Hufeisenbogen, Stalaktitengewölbe, Majolikafliesen).

In Zentralspanien ist die hispano-maurische Kunst vor allem in Toledo vertreten. Die bedeutendsten Werke sind die Kirche *Santo Cristo de la Luz* (siehe Abbildung), die Kirche *Santa María la Blanca* und die *Puerta del Sol* (siehe Seite 41).

Romanische Kunst

Die romanische Kunst fand von Süd- und Südwestfrankreich her Eingang nach Spanien. Sie hat sich hier (und im benachbarten Portugal) über die Gebiete verbreitet, die bis gegen 1100 wieder in den Händen der Christen waren. Südlich von Toledo sind daher romanische Baudenkmäler kaum anzutreffen. In den Landschaften Kastilien und León mischten sich romanische Elemente zunächst noch mit maurischen, schließlich aber konnte sich die Romanik von maurischen Einflüssen frei machen. Aber auch dann kam es zu keiner selbständigen spanischen Romanik. Das romanische Spanien blieb vielmehr eine Provinz des romanischen Frankreichs.

Die bedeutendsten romanischen Bau- und Kunstdenkmäler Zentralspaniens befinden sich in *León* und *Ávila*. Es sind in León die Kirche *San Isidoro* mit ihren Portalplastiken (siehe Seite 63) und in Ávila die Kirche *San Vicente* mit dem Grabmal des heiligen *Vinzenz*

Toledo: Cristo de la Luz

und den Plastiken des Süd- und Westportals (siehe Seite 60). Aus Ávila stammt auch eine mit Miniaturen geschmückte *Bibel* (12. Jh.), die in der *Nationalbibliothek* in Madrid aufbewahrt wird.

Gotische Kunst

Auch die gotische Kunst Spaniens ist der gotischen Kunst Frankreichs sehr stark verhaftet. Manche gotische Kirche Zentralspaniens erscheint geradezu als eine Kopie französischer Kirchen. Das gilt besonders für die Kathedralgotik. Die Kathedrale von *Burgos*, eines der wichtigsten gotischen Bauwerke Zentralspaniens, ist trotz mancher Besonderheiten eine Nachahmung der Kathedrale von *Bourges* (die Ähnlichkeit auch der beiden Städtenamen ist sicherlich nur ein kurioser Zufall). Was die Gotik Spaniens von derjenigen Frankreichs unterscheidet, ist vor allem das überreiche Schmuckwerk, sodann in den meisten Kirchen der mitten im Schiff angelegte und gegen das Schiff hin völlig abgeschlossene zweite Chor, der vielfach durch einen mit Schranken versehenen Gang mit dem Hauptchor verbunden ist. Bei der Vorliebe für den reichen Schmuck ist es nicht verwunderlich, daß die Gotik mit einem besonderen Schmuckstil, dem *Platereskenstil*, ausklingt. In ihm vereinigen sich maurische und gotische Elemente, sind aber bereits auch Elemente der *italienischen Renaissance* anzutreffen. Als ältestes plattereskes Bauwerk gilt das *Colegio Mayor de Santa Cruz* (Ende 15. Jh.) in *Valladolid* (siehe Seite 46).

Zur Zeit der Spätgotik (Mitte des 15. Jh.) entstand in *Salamanca* eine *kastilisch-flämische Malerschule*, deren Vorbilder *Rogier van der Weyden* und der „Meister von Flémalle" waren. Als bedeutendster unter den namentlich bekannten Meistern dieser Schule ist *Fernando Gallego* (zweite Hälfte des 15. Jh.) anzusehen.

Renaissance

Italienische Künstler erobern Spanien für die Renaissance, und spanische Künstler reisen nach Italien, um an Ort und Stelle die italienische Kunst zu studieren. Die spanische Renaissance erreicht ihre Vollendung im sogenannten *Desornamentadostil*, einem völlig schmucklosen und gegen den Platereskenstil gerichteten Stil, in dem vor allem der *Escorial* (siehe Seite 35) errichtet wurde.

16.—19. Jahrhundert

Die Zeit des *Barocks* und des *Klassizismus* ist vor allem eine Blütezeit der spanischen *Malerei*. Der von der Insel *Kreta* stammende *Domenico Theotocopuli*, genannt *El Greco*, läßt sich 1575 in Toledo nieder. 1623 kommt der Sevillaner *Diego de Silva y Velázquez* als Hofmaler nach Madrid. Zu dieser Zeit bestand bereits die „Schule von Madrid", die im Laufe der nächsten Jahrzehnte mehr und mehr zur Schule des Velázquez wird. Ihren letzten Höhepunkt erlebt die Madrider Malerei durch *Francisco Goya*, der von 1780 bis 1824 als Hofmaler und Akademiedirektor in Madrid wirkt.

Die barocke Baukunst und Bildhauerei erhält durch den aus Madrid stammenden Baumeister, Bildhauer und Maler *José Churriguera* (1665—1725) ihr besonderes, nämlich ihr churrigueristisches, Gesicht. Der *Churriguerismus* ist ähnlich wie der Platereskenstil in erster Linie ein Schmuckstil, der durch eine Überfülle regelloser Formen gekennzeichnet ist. Zu den Werken Churrigueras gehört der Hochaltar der Kirche *San Esteban* in *Salamanca*.

Auch in *literarischer* Hinsicht spielt Kastilien in dieser Zeit eine hervorragende Rolle. 1547 wird in *Alcalá de Henares* (in der Nähe von Madrid) *Miguel de Cervantes*, der Schöpfer des *Don Quijote de la Mancha*, geboren. Aus Madrid stammt *Tirso de Molina* (um 1584—1648), der das Schauspiel „El burlador de Sevilla" (Der Spötter von Sevilla) schreibt, die erste Bühnenfassung der sich um den berühmten *Don Juan* rankenden Sagen und Legenden. Madrider ist auch der große Dramatiker *Pedro Calderón de la Barca* (1600—81), von dessen rund 200 Bühnenstücken und Sakramentsspielen noch heute einige auf den Theaterspielplänen zu finden sind („Das Leben ein Traum", „Das große Welttheater", „Der Richter von Zalamea", „Der Arzt seiner Ehre", „Dame Kobold").

Diese Übersicht deutet an, daß Zentralspanien, vor allem natürlich die neue Hauptstadt Madrid (seit 1561), vom 16. Jh. ab immer größere kulturelle und künstlerische Bedeutung gewinnt. Es entstand sogar eine speziell auf Madrid bezogene literarische Richtung, der sogenannte Madrileñismo.

Auf große Werke und Persönlichkeiten der letzten rund 150 Jahre wird in den Routenbeschreibungen hingewiesen.

Speisen und Getränke

Die Küche Zentralspaniens ist vorwiegend bäuerlich und dementsprechend einfach und kräftig. Eintopfgerichte wie *Cocido* und *Caldereta* sind recht beliebt; auch der besonders in der Provinz *Ciudad Real* häufig zubereitete *Pisto manchego*, eine Gemüsespeise, gehört zu dieser Gruppe von Gerichten. Eine Eintopfspezialität ist der *Cordero en caldereta*, der Hammel im Topf.

Hammel- und Ziegenfleisch bilden überhaupt einen wesentlichen Teil der zentralspanischen Küche. Jede Provinz hat ihre eigenen Zubereitungsarten von Hammel-, Lamm- und Ziegenbraten. Die Provinz *Valladolid* hat ihren *Cordero asado* (Hammelbraten), die Provinz *Palencia* ihren *Lechazo asado* (Lammbraten), die Provinz *Guadalajara* ihren *Cabrito asada a la barreña* (Zickelbraten).

Weniger oft als Hammel- und Ziegenfleisch kommen Schweine- und Kalbfleisch auf den Tisch. Überall in Zentralspanien (aber auch in den übrigen Teilen Spaniens) gilt das *Spanferkel* als Spezialität. Es wird als *Tostón* oder als *Cochinillo* bezeichnet und schmeckt trotz unterschiedlicher Zubereitung in allen Teilen des Landes gleich gut. Eine der empfehlenswertesten Arten von *Kalbsbraten* ist die *Ternera de Saldaña* in der Provinz *Palencia*.

Sehr groß ist die Auswahl an Würsten, zu denen sich ein ausgezeichneter Schinken gesellt. Die *Morcillas* (Weichwürste) von *Burgos* und der *Jamón de Montánchez* (roher Schinken aus der Provinz *Cáceres*) sind eine Kostprobe wert.

Eine weit über die Grenzen Spaniens hinaus bekannte Spezialität ist der *Queso manchego*, der aus der Mancha kommende Käse.

Unter den Geflügelspezialitäten steht *Rebhuhn* an der Spitze. Auch diese Köstlichkeit wird in den einzelnen Landesteilen unterschiedlich zubereitet, z. B. *al modo de Alcántara* in der Provinz *Cáceres*, nach *Toledaner Art* in *Toledo*.

Ausgezeichnete *Forellen* gibt es in den nördlichen Provinzen *León*, *Palencia*, *Soria* und *Zamora*. Hier kann man auch *Flußkrebse* in verschiedenen Zubereitungsarten bekommen.

Die Auswahl an *Süßspeisen* und *Gebäck* ist fast unübersehbar groß. Auch hier gibt es bei gleicher Bezeichnung Unterschiede von Provinz zu Provinz. Spezialitäten sind die *Yemas de Santa Teresa* in der Provinz *Ávila*, die *Bizcochos borrachos* in der Provinz *Guadalajara*, die *Leche frita* in der Provinz *Palencia*, die *Mantequilla dulce* in der Provinz *Soria*, das nach arabischer Art hergestellte *Marzipan* in *Toledo* und die *Pasteles de Marina* in der Provinz *Valladolid*.

Die *Landweine* Zentralspaniens sind recht gut. Man wird kaum enttäuscht werden, wenn man sich zum Essen den jeweiligen *Vino del país* (auch *Vino de la región* oder *Vino corriente* genannt) geben läßt. Weil man zu den fetten Speisen gern reichlich trinkt, sind diese leichten Weine gerade richtig.

Die Küche der Hotels und Restaurants in Madrid und in den anderen größeren Städten ist international; unverfälschte Landesspezialitäten bietet sie nur selten. Wenn einmal eine Landesspezialität auf den Tisch kommt, ist sie in der Regel einem imaginären „internationalen" Geschmack angepaßt. Aber es gibt auch in den Städten zahlreiche kleine Restaurants, die von Touristen nicht aufgesucht zu werden pflegen und die daher keine Veranlassung haben, ihre Küche zu internationalisieren.

In allen von Touristen regelmäßig aufgesuchten Orten müssen die Restaurants das sogenannte Touristenmenü (*Plato turístico*) anbieten, ein Gericht, das aus Vorspeise (oder Suppe), einem Hauptgang und Nachspeise besteht und in dessen Preis Wein und Bedienung eingeschlossen sind. Dieses Gericht ist in der Regel gut und ausreichend und außerdem erheblich preiswerter als das normale Tagesmenü. Es empfiehlt sich, wenigstens hin und wieder das Touristenmenü zu nehmen; vor allem sollte man es in den guten Restaurants wählen, da man hier auch im Touristenmenü die Qualität seiner Küche unter Beweis zu stellen sucht, während man in manchem einfachen Restaurant dem Touristenmenü etwas lieblos und gleichgültig gegenübersteht. Wem das nur einen einzigen Hauptgang enthaltende Touristenmenü nicht ausreichend erscheint, sollte es mit dem von einigen Cafeterias in Madrid angebotenen *Plato combinado turístico* versuchen, einem aus mehreren Hauptgängen bestehenden speziellen Touristenmenü.

Fahrpreise

Stand März 1973

Mit der Eisenbahn

Nach *Madrid* von

		I. Kl.	II. Kl.
		DM	DM
Berlin	E	388,40	219,50
	R	627,30	356,10
Hamburg	E	294,70	192,70
	R	576,40	377,40
Köln	E	214,70	142,70
	R	429,40	285,40
Frankfurt/M.	E	247,50	163,10
	R	471,40	310,40
München	E	247,80	164,80
	R	468,40	311,80
		ö. S.	ö. S.
Wien	E	2403,—	1608,—
	R	4646,—	3112,—
		sfr.	sfr.
Zürich	E	227,20	152,20
	R	430,40	288,40

E = einfache Fahrt.

R = Hin- und Rückfahrt.

Will man eine Eisenbahnrundfahrt durch Zentralspanien machen, sollte man die Strecke bereits vor der Abreise genau festlegen, damit ein Fahrscheinheft über die Gesamtstrecke ausgestellt werden kann. Man erleichtert sich dadurch die Reise. Wer sich erst etwa in Madrid zu einer Eisenbahnrundfahrt entschließt, wendet sich wegen Ausstellung eines Rundreisefahrscheins am besten an seinen Hotelportier, der alles Notwendige zufriedenstellend erledigt.

Mit dem Europabus

Nach *Madrid* von

		DM		DM
Berlin	E	177,—	R	325,—
Hamburg	E	151,—	R	273,—
Köln	E	134,—	R	234,—
Frankfurt/M.	E	134,—	R	234,—
München	E	142,—	R	249,—

Diese Preise schließen die Kosten für die notwendigen Unterwegsübernachtungen und Mahlzeiten nicht ein. Auch die (geringen) Kosten für die Gepäckbeförderung sind nicht eingeschlossen. Anmeldungen für Fahrten mit dem Europabus können bei allen amtlichen Reisebüros vorgenommen werden.

Mit dem Flugzeug

Nach *Madrid* von

		I. Kl.	Tour.-Kl.
		DM	DM
Berlin	E	513,—	391,—
	R	1026,—	596,—*
Hamburg	E	491,—	369,—
	R	982,—	562,—*
Düsseldorf/	E	411,—	307,—
Köln/Bonn	R	822,—	470,—*
Frankfurt/	E	405,—	301,—
Stuttgart	R	810,—	462,—*
München	E	454,—	339,—
	R	908,—	518,—*
		ö. S.	ö. S.
Wien	E	3967,—	2875,—
	R	7934,—	4382,—*
		sfr.	sfr.
Zürich	E	442,—	330,—
	R	884,—	523,—*

E = einfacher Flug.

R = Hin- und Rückflug.

* = Spezialtarif für Hin- und Rückflug in der Touristenklasse, anwendbar, wenn die Reise wenigstens sechs Tage und höchstens einen Monat dauert.

Der normale Hin- und Rückflug der Touristenklasse kostet das Doppelte des einfachen Fluges.

Inclusive Tour

Die *Inclusive Tour* (IT) ist eine Einzelflugpauschalreise mit Linienmaschinen der IATA-Luftverkehrsgesellschaften. Termin, Dauer und Programm der Reise legt der Reisende selbst fest. Eine solche IT nach Madrid kostet bei sechstägiger Dauer, Unterbringung in einem Luxushotel (Zimmer und Frühstück) und mit einer Stadtrundfahrt DM 687,— bei Abflug ab München; bei Unterbringung mit Halbpension (Frühstück und eine Hauptmahlzeit) erhöht sich der Preis auf DM 842,—.

Praktische Hinweise

Autofahrer

benötigen den *Internationalen Führerschein*, die *nationale Zulassung*, am Wagen das *Nationalitätszeichen*, ferner die *Grüne Versicherungskarte* (wer diese Karte vergißt, muß an der Grenze eine Grenzversicherung abschließen; empfehlenswert ist auch die Touristenversicherung, die an den Grenzabfertigungsstellen abgeschlossen werden kann und einen guten Unfall- und Rechtsschutz gewährleistet). — Zur Zeit kostet Normalbenzin 10,50 Pts., Superbenzin 12,50 Pts., Diesel 7,— Pts. Es ist ratsam, Superbenzin zu fahren.

Bedienungs- und Trinkgelder

Die Hotelpreise schließen das Bedienungsgeld und die üblichen Steuern ein. Ein Trinkgeld gibt man nur für besondere Dienstleistungen (z. B. dem Zimmermädchen, dem Zimmerkellner, dem Portier, sofern man diese für Leistungen in Anspruch genommen hat, die über die vorgesehenen üblichen Dienstleistungen hinausgehen). In Restaurants, Bars, Cafés ist das Bedienungsgeld nicht immer im Rechnungsbetrag enthalten; ein Bedienungsgeld in Höhe von 10—15 % ist üblich. Taxifahrer erhalten ein Trinkgeld von 10 %. Mit sonstigen Trinkgeldern (etwa für Garderobenfrauen, Platzanweiserinnen) ist der Spanier selbst sehr sparsam; 1—5 Pts. sind üblich, und diesen Satz sollte man auch als Tourist nicht überschreiten.

Devisenbestimmungen

Ausländische Zahlungsmittel dürfen in beliebiger Höhe eingeführt werden. In spanischer Währung ist ein Betrag bis zu 50 000 Pts. pro Person zur Einfuhr freigegeben; die Ausfuhr ist auf 3000 Pts. begrenzt. Ausländische Zahlungsmittel dürfen bis zur Höhe des eingeführten Betrages wieder ausgeführt werden. Wer einen sehr hohen Betrag einführt, tut gut daran, diesen Betrag bei der Einreise zu deklarieren. Sehr zu empfehlen ist die Mitnahme von Reiseschecks über Beträge von 50,— und 100,— DM.

Diplomatische Vertretungen

Botschaft der Bundesrepublik Deutschland, Madrid, Calle Fortuny 8 (in der Nähe der Plaza de E. Castelar); Österreichische Botschaft, Madrid, Núñez de Balboa 46 (östlich der Plaza de Colón); Schweizerische Botschaft, Madrid, Zurbano 25 (in der Nähe der Plaza Doctor Marañón).

Geld

Die spanische Währungseinheit ist die Peseta (Pt. oder Pta., Mehrzahl Pts. oder Ptas.). 1 Peseta = 100 Céntimos. Zur Zeit gelten folgende Wechselkurse: 1,— DM = 20,43 Pts.; 1 sfr. = 18,51 Pts.; 1 ö. S. = 2,83 Pts. In Umlauf sind Münzen im Wert von 10 und 50 Céntimos und im Wert von 1 Pta., 2,50, 5,— und 50 Pts. Banknoten gibt es im Wert von 50, 100, 500, 1000 Pts. und Silbermünzen im Werte von 100 Pts.

Grenzpapiere

Zur Einreise und zu einem Aufenthalt bis zu drei Monaten benötigen Staatsangehörige der Bundesrepublik Deutschland, des Fürstentums Liechtenstein und der Schweiz nur einen gültigen Personalausweis. Österreichische Staatsangehörige können nur mit gültigem Reisepaß einreisen. — Für Hunde ist ein Tollwutimpfzeugnis und ein vom zuständigen spanischen Konsulat beglaubigtes Gesundheitszeugnis erforderlich.

Informationen

erteilen außer den Reisebüros und den Automobilklubs die *Staatlichen Spanischen Verkehrsbüros* (Fremdenverkehrsämter) in Düsseldorf, Gustav-Adolf-Straße 81; Frankfurt/M., Bethmannstraße 50—54; Hamburg 1, Ferdinandstraße 64—68; München 2, Oberanger 6; Wien 1, Maysedergasse 4; Genf, 1 Rue de Berne; Zürich, Claridenhof, Claridenstraße 25; ferner die Informationsbüros der *Dirección General de Empresas y Actividades Turísticas* in den Provinzhauptstädten (Anschriften siehe in den jeweiligen Stadtbeschreibungen).

Postgebühren

Für eine Post- oder Ansichtskarte beträgt das Porto 5,— Pts., für einen Brief bis zu 20 g 8 Pts. Ein Luftpostzuschlag muß für diese Sendungen nicht mehr gezahlt werden.

Postsparverkehr

Deutsche Postsparer können auch in Spanien über ihr Guthaben verfügen. Nähere Auskünfte erteilen die Postämter. Es sei hier nur darauf hingewiesen, daß die Rückzahlungskarten und -scheine bei den Postsparkassenämtern in Hamburg oder München angefordert werden müssen und daß die entsprechenden Anträge nicht zu kurzfristig vor der Abreise gestellt werden dürfen.

Schuhputzen

ist in den spanischen Hotels unbekannt. Man läßt sich die Schuhe auf der Straße oder in einem Terrassencafé von einem *limpiabotas* (Schuhputzer) putzen, sofern man sich der Mühe nicht selbst unterziehen will.

Stromspannung

In den großen Hotels und in den touristisch wichtigen Gebieten herrscht 220 Volt Wechselstrom vor. Im übrigen muß mit 110—125 Volt Wechselstrom gerechnet werden.

Unterkunft

Es gibt Hotels der Kategorien Luxus, 1A, 1B, 2 und 3 und Pensionen der Kategorien Luxus, 1 und 2. Die drei Kategorien der Pensionen entsprechen den Preisen nach in etwa den Hotelkategorien 1B, 2 und 3. Für die in diesem Reiseführer vorgenommenen Hotelempfehlungen sind die Hotels der Kategorien Luxus, 1A und 1B zu den „sehr guten" Hotels zusammengefaßt (auf Luxushotels wird besonders aufmerksam gemacht). Die Hotels der Kategorie 2 gelten als „gut", die der Kategorie 3 als „einfach".
Auch die Appartement-Hotels, die offiziell in vier Klassen unterteilt sind, haben wir zum Teil in unserer Kategorisierung aufgenommen.

Neben den Hotels und Pensionen gibt es staatliche Unterkünfte, und zwar die *Paradores*, die *Albergues de carretera* und die *Refugios de montaña*. Die Paradores sind vorwiegend in alten Palästen, Burgen oder Klöstern untergebracht und gehören meist zu den Hotels der Kategorien 1 A und 1 B. Die Albergues de carretera (Landstraßen-Raststätten) liegen in der Regel an touristisch wichtigen Punkten, an denen es keine anderen Unterkünfte gibt, und sind nur für einen Aufenthalt bis zu 48 Stunden gedacht; sie gehören vorwiegend zur Hotelkategorie 1B. Die Refugios de montaña sind Berghotels für Gebirgssportler und Jäger; auch sie zählen vorwiegend zur Hotelkategorie 1B.
In Madrid liegen die Durchschnittspreise für ein Einzelzimmer mit Bad und für die Vollpension (Frühstück und zwei Hauptmahlzeiten) bei 600 + 500 Pts. in Luxushotels, bei 300 + 300 Pts. in Hotels der Kategorie 1 A, bei 200 + 225 Pts. in Hotels der Kategorie 1 B, bei 150 + 190 Pts. in Hotels der Kategorie 2, bei 100 + 160 Pts. in Hotels der Kategorie 3. Wer keinen Wert auf Vollpension legt, findet in Madrid viele *Residencias* aller Kategorien, Hotels, die den Garni-Hotels in Deutschland zu vergleichen sind und in denen man nur Frühstück bekommen kann. — Die Preise für Unterkunft und Verpflegung sind in Madrid etwas höher als im übrigen Zentralspanien.

Wichtige Zeiten

Essenszeiten: Frühstück 8—11 Uhr; Mittagessen 13—15.30 Uhr; Abendessen 20—23 Uhr (manche Hotels weichen von diesen Regelzeiten geringfügig ab). In den Albergues de carretera und in den Bars und Cafés kann man auch außerhalb dieser Zeiten kalte Speisen bekommen.

Öffnungszeiten der Geschäfte: im Sommer in der Regel von 9—13 und 17 bis 19 Uhr, im Winter von 9—13.30 und 16—19 Uhr. Banken und viele Büros pflegen nur vormittags geöffnet zu sein, und zwar Banken in der Regel von 9—14, Büros von 9—14 Uhr.

Zelten und Jugendherbergen

Eine Internationale Camping-Lizenz ist nicht mehr erforderlich. Freies Zelten außerhalb der Campingplätze ist in den Städten und in der Nähe der Städte (bis zu 1 km vom Stadtrand), in der Nähe von Bau- und Kunstdenkmälern und in einer Entfernung von weniger als 50 m von den wichtigen Straßen verboten.
In den *Jugendherbergen*, die gewöhnlich von 7—23 Uhr geöffnet sind, haben Jugendliche bis zu 25 Jahren das Vorrecht.

Zollbestimmungen

Gegenstände des persönlichen Gebrauchs (dazu gehört auch die Campingausrüstung) kann man zollfrei ein- und ausführen. Zollfrei sind ferner 50 Zigarren oder 200 Zigaretten oder 250 g Tabak. Spanische Waren (Mitbringsel) sind bei der Ausfuhr bis zu einem Gesamtwert von 25 000 Pts. zollfrei, bei der Einfuhr nach Deutschland jedoch nur bis zu einem Wert von 100 DM.

Taxis

pflegt man herbeizuwinken („Libre" bedeutet „Frei"). Der Grundpreis beträgt 5,— bis 10,— Pts.; je Koffer sind 2 Pts. zu zahlen.

Ferien in Zentralspanien

Ferien in Zentralspanien können sein:
1. ein etwa einwöchiger Aufenthalt in Madrid, der genügend Zeit läßt, die wichtigen Museen zu besuchen und Ausflüge in die nähere Umgebung zu machen;

2. An- oder Rückreisetage nach oder von Portugal, die man, wenn man sich ein wenig Zeit läßt, auf den Strecken Burgos—Madrid—Talavera—Mérida—Badajoz oder Burgos—Valladolid—Segovia—Madrid—Ávila—Salamanca—Plasencia—Cáceres—Badajoz recht erlebnisreich gestalten kann;

3. eine große Zentralspanien-Rundreise, die sich in einen Nord- und einen Südabschnitt zerlegen läßt. Der Nordabschnitt ist mit folgendem Reiseweg umrissen: Burgos—Soria—Medinaceli—Guadalajara—Madrid (mit Abstecher nach Aranjuez und Toledo)—El Escorial—Segovia—Valladolid—Tordesillas—Zamora—Benavente—Astorga—León—Palencia—Burgos; für den Südabschnitt ist ab Madrid der folgende Weg einzuschlagen: Madrid—Ávila—Salamanca (eventuell Abstecher nach Ciudad Rodrigo)—Plasencia—Cáceres—Badajoz—Mérida—Ciudad Real—Manzanares—Cuenca—Tarancón—Madrid. Diese beiden Rundfahrten führen zu allen wichtigen Sehenswürdigkeiten Zentralspaniens, und wenn man sich zu dem einen oder anderen kleinen Abstecher, für den die Routenbeschreibungen dieses Reiseführers die notwendigen Hinweise bringen, aufschwingt, dann kann man auch noch manche andere nicht so bedeutende Sehenswürdigkeit aufsuchen.

Wer auf einer Eisenbahnrundfahrt möglichst viele sehenswerte Orte erreichen möchte, nimmt am besten den folgenden (wegen der auf einigen Strecken geringen Verkehrsdichte zeitraubenden) Weg: Burgos—Valladolid—Palencia—León—Astorga—Zamora—Salamanca—Ávila—Villalba—Segovia — Villalba — Madrid — Toledo — Arroyo Malpartida—Cáceres—Badajoz—Mérida—Valdepeñas—Aranjuez — Madrid — Guadalajara — Soria-Cañuelo—Burgos. Bei besonderem Interesse für die Mancha kann von Aranjuez aus ein Abstecher nach Cuenca unternommen werden.

Für Freunde des Campings sind auf nebenstehender Karte die Zeltplätze und (ersatzweise) die Jugendherbergen eingezeichnet.

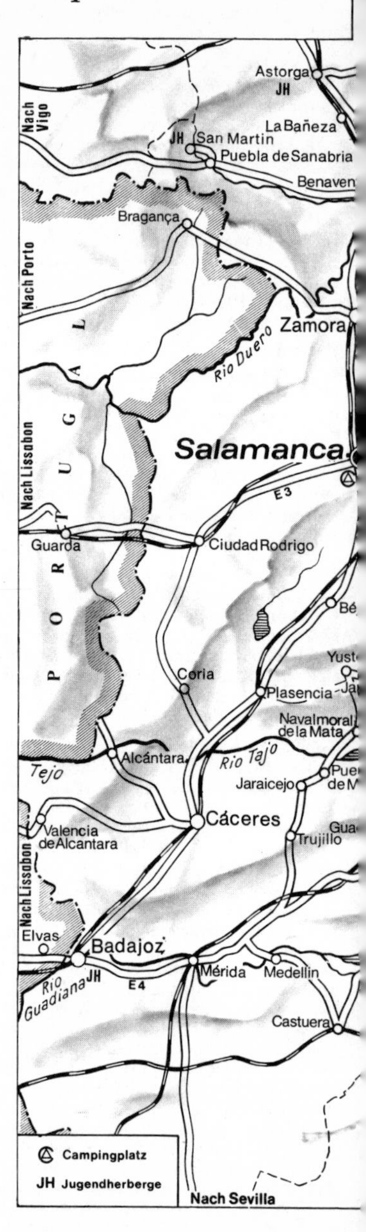

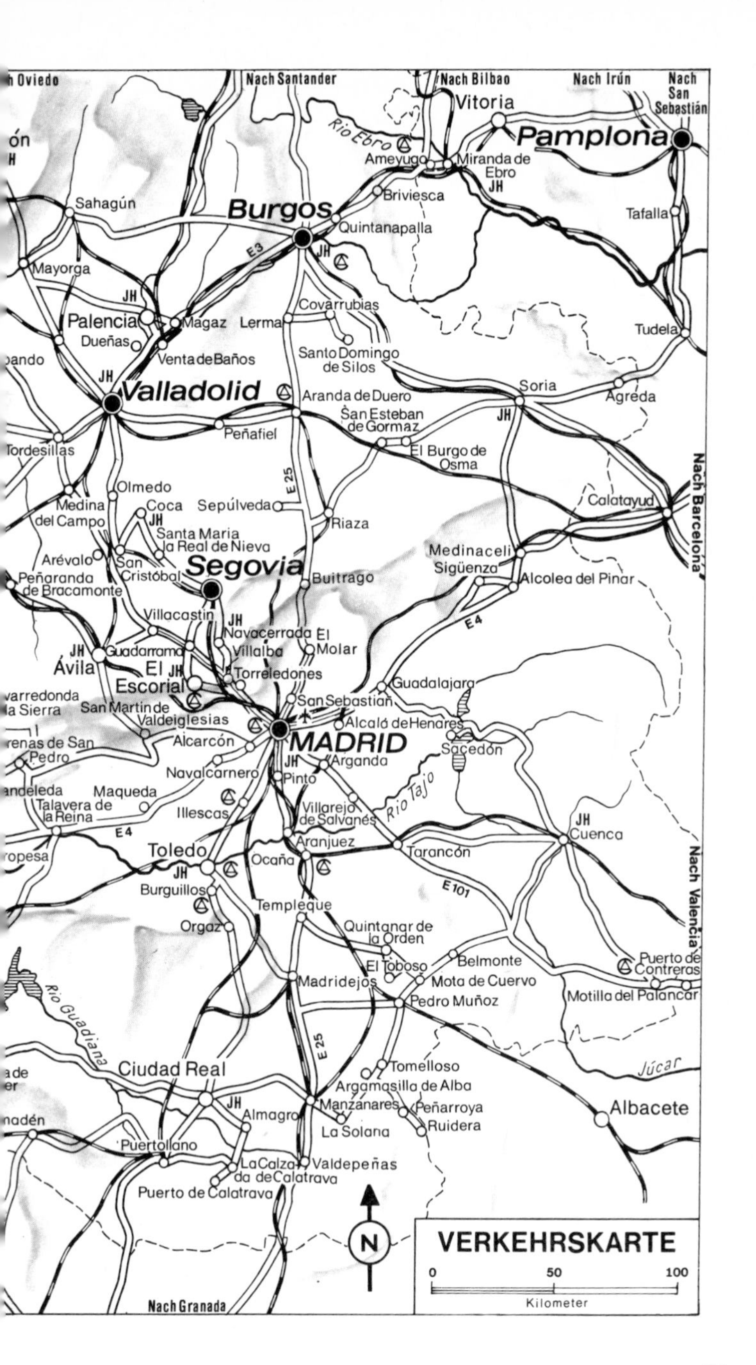
Nach Oviedo
Nach Santander
Nach Bilbao
Nach Irún
Nach San Sebastián
Vitoria
Pamplona
Rio Ebro
Ameyugo
Miranda de Ebro
JH
Briviesca
Tafalla
Sahagún
Burgos
Quintanapalla
E3
JH
Mayorga
Covarrubias
Palencia
Magaz
Lerma
Tudela
Dueñas
Venta de Baños
Santo Domingo de Silos
JH
Valladolid
Aranda de Duero
Soria
Agreda
San Esteban de Gormaz
Peñafiel
Tordesillas
El Burgo de Osma
E 25
Olmedo
Medina del Campo
Coca
JH
Sepúlveda
Riaza
Calatayud
Nach Barcelona
Santa Maria la Real de Nieva
Arévalo
San Cristóbal
Segovia
Medinaceli
Sigüenza
Alcolea del Pinar
Peñaranda de Bracamonte
Buitrago
E4
Villacastín
JH
Navacerrada
El Molar
JH
Ávila
Guadarrama
Villalba
El Escorial
Torreledones
Guadalajara
San Sebastián
San Martin de Valdeiglesias
Alcalá de Henares
MADRID
Alcarcón
Sacedón
Navalcarnero
JH
Arganda
Pinto
Rio Tajo
Maqueda
Talavera de la Reina
Illescas
Villarejo de Salvanés
JH
Cuenca
E4
Aranjuez
Nach Valencia
Toledo
Ocaña
Tarancón
JH
Burguillos
E101
Templeque
Orgaz
Quintanar de la Orden
El Toboso
Belmonte
Puerto de Contreras
Rio Guadiana
Madridejos
Mota de Cuervo
Motilla del Palancar
Pedro Muñoz
E 25
Tomelloso
Júcar
Ciudad Real
Argamasilla de Alba
JH
Manzanares
Albacete
Almagro
Peñarroya
Ruidera
La Solana
Puertollano
La Calzada de Calatrava
Valdepeñas
Puerto de Calatrava
N
VERKEHRSKARTE
0
50
100
Kilometer
Nach Granada

Madrid

Madrid (über drei Millionen Einw.), die Hauptstadt Spaniens, liegt fast genau in der Mitte der Iberischen Halbinsel auf einer Hochfläche (im Durchschnitt etwa 665 m) und vorwiegend am Ostufer des *Manzanares*, der sich 60—80 m tief in die Hochfläche eingegraben hat. Die Hochfläche ist leicht hügelig; innerhalb des Stadtgebiets gibt es Höhenunterschiede bis rund 100 m. Die hügelige Hochfläche, in die Groß-Madrid mit neuen Vororten und durch Einbeziehung benachbarter kleiner Orte immer weiter hineinwächst, wird im Norden durch die bis 2430 m hohe *Sierra de Guadarrama*, das Hausgebirge der Madrider, begrenzt.

Die *Altstadt* — auf dem Stadtplan an der unregelmäßigen Straßenführung deutlich zu erkennen — bildet nur einen recht kleinen Teil des heutigen Stadtareals. Unter ihr ist das Gebiet zu verstehen, das zu Beginn des 17. Jh. von der Stadt eingenommen wurde und das sich vom *Campo del Moro* im Westen bis zum *Parque del Retiro* im Osten, von dem Straßenzug *Ronda de Segovia—Ronda de Toledo—Ronda de Valencia—Paseo General Primo de Rivera* im Süden bis zum Straßenzug *Calle de Alberto Aguilera—Calle de Carranza—Calle de Sagasta—Calle de Génova* im Norden erstreckt. Die geographische Mitte bildet der Platz *Puerta del Sol*. Durch die nur wenig nördlich dieses Platzes verlaufende und 1910 angelegte breite *Avenida de José Antonio* — meist kurz *Gran Via* genannt — wird die Altstadt in einen größeren (und sehenswerteren) Südteil und einen kleineren Nordteil gegliedert. Die Gran Via ist neben dem Straßenzug *Calle Mayor—Puerta del Sol—Calle de Alcalá* die einzige Straße der Altstadt, die den starken und ständig zunehmenden Verkehr bewältigen kann.

Im Vergleich zur Altstadt sind die neueren Stadtteile, die besonders nach dem Norden und Süden, weniger nach dem Osten hin entstanden sind und noch entstehen, weiträumig und sehr aufgelockert (dies gilt in erster Linie für die neuesten Stadtviertel) angelegt. Breite Straßen und weite Plätze geben diesen Teilen Madrids einen, wie die Madrider selbst zu sagen pflegen, „luftigen" Charakter. Es ist bezeichnend, daß Straßen, Alleen, Plätze und Parks mehr als 50% der Stadtfläche (unter Außerachtlassung der Vororte) ausmachen.

Verkehrsmäßig ist die Stadt recht gut erschlossen durch Straßenbahnen (die immer mehr durch Autobusse ersetzt werden), durch Trolleybusse und vor allem durch Autobusse. Hinzu kommt die Metro (Untergrundbahn), die ständig weiter ausgebaut wird (zur Zeit sechs Linien). Die *Autobuses Extraradio* bedienen das äußere Stadtgebiet, das heißt: die neuesten am Stadtrand gelegenen Wohnsiedlungen und die vor allem im äußersten Süden gelegenen Industriegebiete.

So sehr Madrid nämlich als Sitz der Regierung und aller höchsten Verwaltungs- und Rechtsbehörden, als Sitz der Versicherungsgesellschaften und Banken, der Verwaltungen der großen Industrieunternehmen und als Sitz kultureller Einrichtungen in starkem Maße Verwaltungs- und Beamtenstadt ist, so hat doch gerade in den letzten Jahrzehnten die industrielle Bedeutung Madrids so sehr zugenommen, daß die Landeshauptstadt eine ernsthafte Konkurrentin *Barcelonas*, der bedeutendsten Industriestadt Spaniens, geworden ist. Weit über 40% der Berufstätigen sind in der Industrie beschäftigt. Einige der größten Industrien sind die Flugzeugwerke, die Telefonwerke, die Automobilfabrik *Pegasus*. Bezeichnend für den Zustand, in dem sich Madrid befindet, ist der Umstand, daß rund ein Drittel der in der Industrie Beschäftigten zur Bauindustrie gehören. Das erklärt sich aus zwei Hauptproblemen, die Madrid zu lösen hat: Wohnungsbeschaffung für die aus den landwirtschaftlichen Provinzen rings um Madrid kommenden Zuwanderer und Bau von Straßen, die des ständig wachsenden Verkehrs Herr werden können. Im Vordergrund des Straßenbaus steht eine sechsspurige kreuzungsfreie Stadtautobahn in Ost-West-Richtung. Kaum minder wichtig ist der Bau von unterirdischen Parkplätzen und Tiefgaragen.

GESCHICHTE

Die Keimzelle Madrids dürfte die spätestens im 9. Jh. von den Mauren etwa zwischen den heutigen Straßen *de Segovia* und *del Arenal* errichtete Festung *Magerit* (oder *Majrit*) gewesen sein.

Dieses Viertel mit seinen engen und winkligen Gassen wird heute noch *Moreria* genannt und erinnert so an die Mauren. 1083 wurde die Festung von König *Alfons VI.* erobert und entwickelte sich nunmehr zu einer der wichtigeren Städte des Königreichs Kastilien. Im 14. Jh. traten die *Cortes* mehrmals in Madrid zusammen, im 15. Jh. ließen sich einige kastilische Könige in Madrid krönen. Das Schloß, das auf den maurischen *Alcázar* zurückging, wurde oft von den kastilischen, dann von den ersten spanischen Königen bewohnt. *Philipp II.*, der Erbauer des Escorial, erhob Madrid zur Hauptstadt des spanischen Reiches. Um diese Zeit (1561) war die Stadt bereits weit über die alte Maurenfestung hinausgewachsen, und zwar nach Norden bis zur *Plaza de Santo Domingo*, nach Osten bis zur *Puerta del Sol* und nach Südosten bis zur *Plaza de Antón Martín.* Binnen 60 Jahren dehnte sich die Stadt bis zu den Seite 18 genannten Grenzen aus. Für die weitere Ausdehnung der Stadt waren die Regierungszeiten von *Philipp IV.* (1621—65; Schaffung des *Parque del Retiro*) und *Karls III.* (1759—88; Anlage des *Botanischen Gartens*, der Prachtstraßen *Paseo del Prado, de la Castellana* und anderer, Errichtung der *Puerta de Alcalá*) von entscheidender Bedeutung. In das Jahr 1808 fiel das einzige Ereignis, das für die Geschichte ganz Spaniens von Bedeutung war: die Einwohner Madrids erhoben sich gegen *Murat* (siehe Seite 9); die erbitterten Straßenkämpfe, in denen weit über 1000 Madrider zu Tode kamen, waren der Auftakt zum Spanischen Unabhängigkeitskampf gegen Frankreich. *Goya* hat Szenen aus den Madrider Kämpfen in seinen Gemälden „Der 2. Mai 1808 in Madrid; der Kampf gegen die Mamelucken“ und „Der 3. Mai 1808 in Madrid; die Erschießungen auf den Höhen des Principe Pío“ (beide im Saal LV A des Prado) dargestellt.

Eine neue Periode der Ausdehnung und vor allem der Modernisierung begann für Madrid kurz nach der Mitte des 19. Jh., und diese Periode ist bis heute noch nicht zum Abschluß gekommen.

In dieser Zeit ist Madrid — um nur einige touristisch interessante Zahlen zu nennen — die Stadt mit den 30 öffentlichen Parks (2000 ha Gesamtgröße), der 175 Hotels und rund 1300 Pensionen (insgesamt über 50 000 Betten), der rund 800 Restaurants, 4000 Bars, 2200 Tavernen und 100 Tanzlokale geworden. Diese Entwicklung wurde nur durch den Bürgerkrieg gestört, in dem Madrid über zwei Jahre lang von den Nationalisten belagert wurde und schwere Zerstörungen erlitt. Die Belagerung Madrids schildert *André Malraux* in seinem Roman „Die Hoffnung“.

RUNDGANG

Der hier vorgeschlagene Rundgang besteht aus mehreren Abschnitten; die beiden ersten beschränken sich auf das Innere der Altstadt, die anderen erfassen die Peripherie der Altstadt und sehen außerdem einige Abstecher in die benachbarten neuen Stadtviertel vor.

Wir beginnen unseren Rundgang auf dem Platz, der Jahrhunderte hindurch das Zentrum der Stadt war, seit kurzem diese Bedeutung aber allmählich verliert, nämlich an der

Puerta del Sol [1]. Der Name, der „Sonnentor“ bedeutet, erinnert daran, daß hier früher ein Stadttor gestanden hat. Von diesem in neuester Zeit durch Grünanlagen und Brunnen verschönerten Platz aus gehen wir durch die nach Westen abzweigende *Calle Mayor* bis zu der links von dieser Straße gelegenen

Plaza de la Villa [2]. Diesen Platz, der zu den eindrucksvollsten der Altstadt zählt, umgeben das von Türmen gekrönte barocke Rathaus aus dem 17. Jh., die aus dem 16. Jh. stammende platereske *Casa de Cisneros* und die der gleichen Zeit angehörende *Casa de los Lujanes*, in deren Turm der französische König *Franz I.* nach der Schlacht von *Pavia* (1525) fast ein Jahr

Puerta del Sol

lang gefangengehalten wurde. Heute sind in der Casa de los Lujanes die *Academia de Ciencias Morales y Políticas* und die *Hemeroteca Municipal* (ein sehr reichhaltiges Zeitungs- und Zeitschriftenarchiv) untergebracht. — Zwischen der Casa de Cisneros und der Casa de los Lujantes hindurch führt die *Calle del Cordón* zur *Calle del Sacramento* und zu der südlich dieser Straße gelegenen *Plaza del Cordón*, von der die *Calle Letamendi* zur *Calle de Segovia* weiterführt. Hier hat im Haus Nr. 1 der heilige *Isidro* (siehe Seite 21) als Knecht gedient. An der Westseite der Kirche *S. Pedro* vorbei gehen wir durch die *Costanilla de San Pedro* zu einer Gruppe von Plätzen, die sich zu einem Ring zusammenschließen. Wir kommen zuerst auf die

Plaza de San Andrés [3], an der die im 17. Jh. erbaute Kirche *San Andrés* steht. Die zu dieser Kirche gehörende *Kapelle San Isidro* ist einer der schönsten Barockbauten Madrids. Die aus einem rechteckigen und einem achteckigen, kuppelgekrönten Teil bestehende Kapelle (Mitte 17. Jh.) barg ursprünglich die sterblichen Überreste des heiligen Isidro, des Schutzpatrons der Stadt (der Schrein befindet sich heute im Bischöflichen Palais). Die Gemälde im rechteckigen Teil der Kapelle stellen Wunder dar, die dem Heiligen zugeschrieben werden. Unmittelbar nordöstlich der Kirche San Andrés liegt die *Plazuela de la Paja* mit der *Capilla del Obispo*. Diese in gotisch-plateresken Stil 1520 errichtete Kirche ist die Grabkirche von *Don*

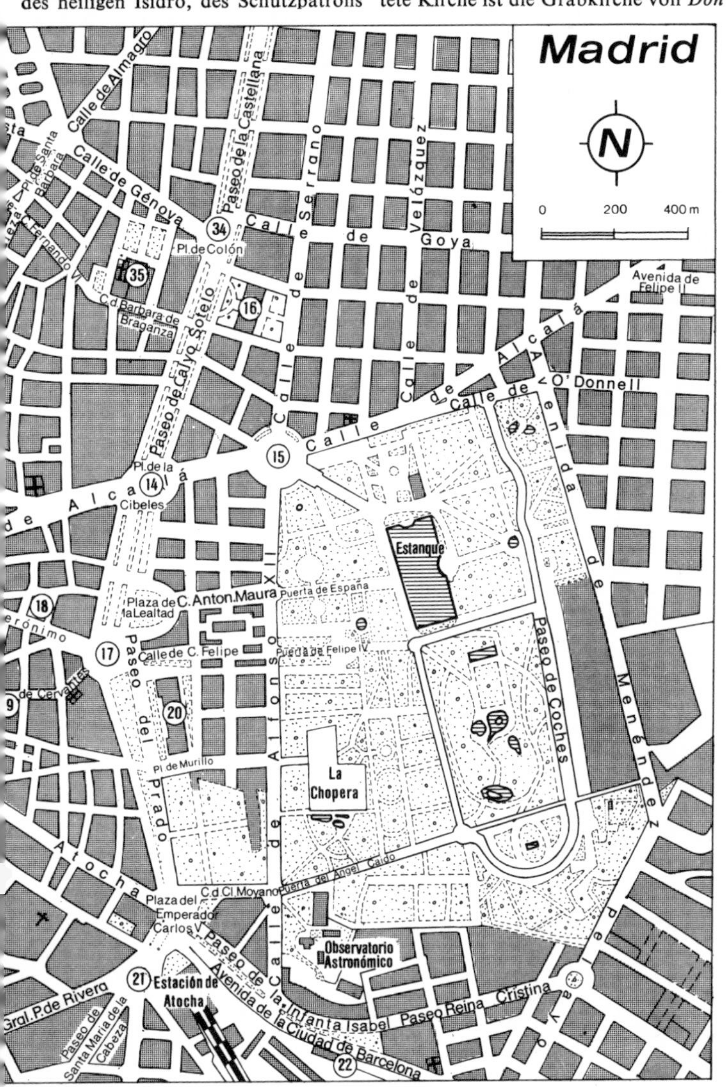

Gutierre de Carvajal y Vargas, Bischofs von Plasencia, und seiner Eltern, die die Kirche gestiftet haben. Das großartige platereske Grabmal des Bischofs und der Hochaltar sind Werke von *Juan de Giralte* (16. Jh.). — Wir gehen von der Plaza de San Andrés aus in südlicher Richtung über die *Plaza Julio Romero de Torres* zur *Plaza de la Puerta de Moros* und von dort in nordöstlicher Richtung zur *Plaza del Humilladero*. Von diesem letzten Platz gehen nach Nordosten die beiden wegen ihrer alten Wohnhäuser und wegen ihrer Gaststätten sehenswerten *Calle de la Cava Alta* und *Calle de la Cava Baja* aus. Es ist gleichgültig, welche von beiden wir einschlagen; beide führen zur *Calle de San Bruno* und zur Kathedrale. Im Hause Calle de la Cava Baja 25 befindet sich ein typisch Madrider Restaurant, das *Mesón del Segoviano*. — Durch die Calle de San Bruno kommen wir zur *Calle de Toledo*. An der Ostseite steht die

Catedral San Isidro Labrador [4]. Die Kirche, die in eine Häuserreihe eingezwängt ist, wurde von 1622—64 von den Jesuiten als Ordenskirche erbaut. Trotz der ansehnlichen, mit korinthischen Säulen geschmückten Fassade hält die Kirche den Vergleich mit anderen spanischen Kathedralen nicht aus; dabei ist allerdings zu bedenken, daß sie ja nicht als Kathedrale erbaut wurde, sondern erst 1885 diese Würde erhielt (die sie in absehbarer Zeit an die noch im Bau befindliche neue Kathedrale *de la Almudena* wird abtreten müssen). Das Innere ist mit Werken vieler Maler und Bildhauer des Barocks ausgestattet. Das Hochaltargemälde „Dreifaltigkeit“, das von dem aus *Aussig* stammenden *Anton Raphael Mengs* (1728—79) geschaffen wurde, gehört bereits dem Klassizismus an.

Wir gehen die Calle de Toledo weiter in nördlicher Richtung und betreten an ihrem Ende die

Plaza Mayor [5]. Dieser von Arkadenhäusern völlig eingeschlossene Platz wurde zu Beginn des 17. Jh. angelegt. Er hat seitdem als Turnier- und Stierkampfplatz gedient; hier fand manches *Autodafé* statt, die feierliche Verkündigung der vom Inquisitionsgericht gefällten Urteile und vielfach zugleich auch Ketzerverbrennung; hier wurden Schauspiele aufgeführt; hier war der Mittelpunkt vieler Volksfeste. Die Fenster und Balkone der den Platz umgebenden Häuser waren gewissermaßen die Logen, von denen aus

Plaza Mayor

man den Veranstaltungen zusah. Ein Balkon der um 1600 erbauten (und Ende des 17. Jh. nach einem Brand neu errichteten) *Casa Panadería* (an der Nordseite des Platzes) war dem König vorbehalten. In der Mitte des Platzes steht ein Reiterdenkmal (17. Jh.) König *Philipps III.* Unter den Arkaden des Platzes befinden sich besuchenswerte Läden und einige Restaurants, darunter das *Mesón del Corregidor* (Haus Nr. 8).

Durch die *Calle Gerona* (Südostecke des Platzes) gehen wir zu der nur wenige Schritte entfernten *Plaza de la Provincia*, an dem das ehemalige *Cárcel del Corte* (1634), das Königliche Gefängnis, steht, in dem heute das Außenministerium untergebracht ist. An die Plaza de la Provincia schließt sich nach Nordosten zu die *Plaza de Santa Cruz* an, auf der in der Vorweihnachtszeit ein Christkindlsmarkt stattfindet. Über diesen Platz und durch die *Calle de Esparteros* kommen wir zur Calle Mayor und zur Puerta del Sol zurück.

Der zweite Abschnitt des Rundgangs gilt dem nördlichen Teil der Altstadt. Wir verlassen die Puerta del Sol in östlicher Richtung und kommen in der *Calle de Alcalá* nach Passieren des Finanzministeriums (links) zur

Academia de Bellas Artes de San Fernando [6], in der Gemälde älterer und neuerer spanischer Maler (und einiger ausländischer Maler) zu sehen sind. Besondere Beachtung verdienen die Werke *Goyas*, *Zurbaráns* und *Murillos*. Die Galerie ist geöffnet von 10—13.30 und von 16—18.30 Uhr, sonn- und feiertags nur von 10—13.30 Uhr.

Vorbei am *Casino* und an der kleinen Kirche *Las Calatravas* kommen wir zur Gran Via (Avenida de José Antonio), der modernen Durchbruchsstraße durch die Altstadt, in die wir nach links einbiegen. Die Gran Via ist eine Straße der Geschäfte, Hotels, Bars, Kinos und daher immer ungemein belebt. Das auffallendste Gebäude an dieser Straße ist die *Telefónica* [7], das 14stöckige Telefonhochhaus, das zu einem Wahrzeichen der Stadt geworden ist.

Unmittelbar vor dem Hochhaus befindet sich die große Straßenkreuzung *Red de San Luis*. Hier zweigt nach links die *Calle de la Montera* ab (sie führt zur Plaza Mayor). Wir biegen aber nach rechts in die *Calle de Hortaleza* ein und erreichen hier nach etwa 500 m die an der linken Straßenseite gelegene Kapelle

San Antón [8], auch *de los Escolapios* genannt. In dieser Kirche (geöffnet von 7—11 Uhr) ist ein Meisterwerk (1819) von *Goya* zu sehen: „Die letzte Kommunion des heiligen Josef von Calasanza", eines Ordensgründers, der von 1556—1648 gelebt hat. Vor dieser Kirche findet am Antonius-Tag (17. Januar) die Segnung der Haustiere statt (Antonius gilt als Schutzpatron der Haustiere).

Wenige Schritte nördlich der Kapelle San Antón biegen wir nach links in die *Travesía de San Mateo* und dann wieder nach links in die *Calle de San Mateo* ein. An dieser liegt das

Museo Romántico [9], dessen Innenausstattung (Möbel und sonstige Einrichtungsgegenstände) genau derjenigen herrschaftlicher Häuser um 1860 entspricht. Außerdem sind zahlreiche Werke spanischer Maler aus der ersten Hälfte des vorigen Jahrhunderts zu sehen. Das Museum ist von 11—18 Uhr (sonn- und feiertags von 10—14 Uhr) geöffnet: vom 1. August bis zum 15. September ist es geschlossen.

Die Calle de San Mateo endet an der *Calle de Fuencarral*, an der, gut 100 m nach rechts, das *Museo Municipal* [10] liegt. Die Sammlungen dieses Museums beziehen sich auf die Geschichte Madrids; die Ausstellungen wechseln sehr häufig. Das Museum ist außer dienstags von 10.30—13.30 Uhr geöffnet. — Neben dem Museum, dessen prachtvolles Portal von *Pedro de Ribera* geschaffen wurde, liegt der *Jardín del Arquitecto Ribera* mit der *Fuente* (Brunnen) *de Antón Martín* (1731), der auch *Fuente de la Fama* genannt wird und ebenfalls ein Werk Riberas ist.

Wenige Schritte nördlich des Museums biegt nach links die *Calle de Velarde* ab. Sie führt zur *Plaza del 2 de Mayo* [11], die mit ihrem Namen an die Ereignisse des 2. Mai 1808 (siehe Seite 19) erinnert. Von hier aus führt die *Calle de Daoiz* zur *Calle de San Bernardo*. An der Ecke Daoiz/Bernardo steht das Kloster der Salesianerinnen (*Salesas Reales*), schräg gegenüber die von Ribera erbaute Kirche *de los Benedictinos de Montserrat* (erste Hälfte des 18. Jh.) [12]. Wir gehen an dem zu dieser Kirche gehörenden Kloster (*Calle de Quinoñes*) vorbei zur *Plaza de las Comendadoras* [13], an der Kirche und Kloster *de las Comendadores de Santiago* stehen. Die kuppelgekrönte Kirche wurde im 17. Jh. erbaut; die Turmfassade erinnert mit ihren quadratischen Türmen, deren Dächer mit Schieferplatten belegt sind, an Bauten, die für die sogenannte „österreichische Zeit" (Herrschaft der Habsburger österreichischer Herkunft) typisch sind und denen wir im Rathaus und im Außenministerium bereits begegneten.

Wir gehen zur Calle de San Bernardo zurück und folgen ihr in südlicher Richtung. Dabei kommen wir durch das ehemalige *Universitätsviertel*, in dem sich seit der Anlage der modernen *Ciudad Universitaria* (siehe Seite 31) nur noch Teile der Naturwissenschaftlichen Fakultät und zahlreiche Antiquariate befinden.

Die Calle de San Bernardo kreuzt die uns bereits bekannte Gran Via und endet an der *Plaza de Santo Domingo*, von der aus wir durch die *Calle de Preciados* zur Puerta del Sol zurückgehen. — Wir haben auf den beiden bisher geschilderten Wegen natürlich zahllose Möglichkeiten, in malerisch

Kirche de las Comendadoras

erscheinende Gassen und Straßen einzubiegen, und in fast allen diesen Straßen kann man typisches Alt-Madrid kennenlernen. Es läßt sich aber nicht leugnen, daß ein wesentlicher Teil von Alt-Madrid mit allen Zeichen des Verfalls behaftet ist und hier in quälender Enge eine zu große Zahl von Menschen leben muß.

Wir begeben uns nun an die Peripherie der Altstadt. Manche der vorgesehenen Wege sind verhältnismäßig weit, so daß der eine oder andere Teil mit öffentlichen Verkehrsmitteln oder Taxis zurückgelegt werden muß (wer ausreichend Zeit hat, kann allerdings den gesamten Rundgang zu Fuß machen). Wir verlassen die Puerta del Sol wie beim zweiten Abschnitt des Rundgangs auf der Calle de Alcalá, der wir zunächst bis zur

Plaza de la Cibeles [14] folgen. Auf diesem Wege kommen wir an einigen großartigen Bankgebäuden vorbei, die — zusammen mit einigen öffentlichen Gebäuden — nicht nur wegen ihrer Pracht die Kirchen Madrids genannt werden (im Gegensatz zu den Verhältnissen in anderen spanischen Städten sind in Madrid selbst die schönsten Kirchen im Vergleich zu den Bankpalästen recht bescheiden zu nennen). Vor der Plaza de la Cibeles steht an der linken Seite der Calle de Alcalá das *Kriegsministerium* (18. Jh.), der ehemalige *Palacio de Buenavista* der Herzogin *Cayetana de Alba*, jener Alba, die fälschlicherweise als Modell zu Goyas berühmtem Gemälde „Die unbekleidete Maja" gegolten hat. In der Mitte der Plaza de la Cibeles steht der *Cibeles-Brunnen* (18. Jh.; Cibeles = Kybele, antike Göttin der Fruchtbarkeit und Mutter allen Lebens). Nach Norden und Süden gehen von dem Platz die Madrider Prachtstraßen aus, die wir noch näher kennenlernen werden. An der Südostseite des Platzes steht der große und pompöse *Palacio de las Comunicaciones* (Hauptpost), der bezeichnenderweise von den Madridern *Nuestra Señora de las Comunicaciones* (Unsere Liebe Frau von der Post) genannt, also mit einem Kirchennamen belegt wird.

Die Calle de Alcalá führt über die Plaza de la Cibeles hinaus weiter zur *Plaza de la Indepencia* [15], auf der die *Puerta de Alcalá* steht. Der Triumphbogen wurde 1778 zur Erinnerung an König *Karls III.* Einzug in Madrid errichtet.

Von der Plaza de la Independencia aus können wir einige Abstecher machen. Wir fahren zunächst mit der Metro bis zur Station *Ventas*. In unmittelbarer Nähe der Station Ventas befindet sich die *Plaza de Toros de las Ventas* (Stierkampfarena) mit dem sehenswerten *Stierkampfmuseum* (geöffnet von 10 bis 13 und 16—18 Uhr). — Die Metrolinie nach Ventas verläuft unter der Calle de Alcalá; diese Straße ist ein Teil der N. II (Madrid—Barcelona), und von ihr zweigt die Autostraße nach dem Madrider Flughafen Barajas ab.

Zu einem zweiten Abstecher von der Plaza de la Independencia aus gehen wir die *Calle de Serrano* nach Norden und kommen hier zu dem links gegenen großen Komplex

Biblioteca Nacional y Museo Arqueológico [16]. In diesem Gebäudekomplex befinden sich neben der Nationalbibliothek drei der rund fünfzig Madrider Museen. Das bedeutendste ist das *Museo Arqueológico Nacional*, dessen Sammlungen einen ausgezeichneten Überblick über die Kunst Spaniens von der vorgeschichtlichen Zeit bis ins hohe Mittelalter hinein geben. Das Museum ist außer montags von 9.30—13.30 Uhr geöffnet. Im *Museo de Arte del Siglo XIX* befinden sich in erster Linie Werke der spanischen Malerei des 19. Jh., in geringerem Umfang auch Werke ausländischer Maler (geöffnet von 10—14 Uhr). Das dritte Museum ist das *Museo de Arte contemporáneo*. In ihm sind Werke spanischer und ausländischer Künstler der Gegenwart zu sehen (geöffnet von 10 bis 14 Uhr).

Das Ziel eines dritten Abstechers von der Plaza de la Independencia aus liegt ebenfalls an der Calle de Serrano, und zwar an der Kreuzung dieser Straße mit der *Calle de López de Hoyos* (am

Nationalbibliothek

besten Fahrt mit einem Taxi). An der genannten Straßenkreuzung befindet sich das *Museo Lázaro Galdiano*, dessen Sammlungen von *Lázaro Galdiano* zusammengetragen und dem Staat geschenkt wurden. Es sind Gemälde berühmter in- und ausländischer Maler und viele andere Kunstwerke, wertvolles Mobiliar und erlesener Schmuck zu sehen (geöffnet von 10—14 Uhr).

Zum vierten Abstecher gehen wir von der Plaza de la Independencia durch den gleichnamigen Eingang in den

Parque del Retiro, der meist kurz Retiro genannt wird. Die Anfänge des fast 150 ha großen Parks reichen in das 15. Jh. zurück. Bis ins 17. Jh. hinein waren der heute fast ganz verschwundene Palast Sommerresidenz der Könige und der Park Schauplatz höfischer Feste. Während der französischen Besatzungszeit wurde der Palast so gut wie ganz zerstört (einer der wenigen restaurierten Überreste ist das außerhalb der heutigen Parkgrenzen nahe der *Calle de Alfonso XII* gelegene *Armeemuseum*), der Baum- und Pflanzenbestand zu einem wesentlichen Teil vernichtet. Im 19. Jh. wurde der Park gründlich wieder instandgesetzt.

Vom Eingang an der Plaza de la Independencia aus gehen wir auf der *Avenida Mejico* (alle Hauptwege sind nach den Staaten des ehemaligen spanischen Südamerika benannt) zum *Estanque*, dem 250 × 125 m großen Teich, auf dem früher die Seefeste des königlichen Hofes stattgefunden haben. Am Ostufer steht ein mächtiges Denkmal *Alfons XII*. Der Teich ist für den Rudersport freigegeben (Bootsvermietung am Nordufer). Südlich des Teiches liegt der Teil des Parks, in dem im Juli/August die *Festivales de España* stattfinden; berühmte Theater- und Ballettensembles aus aller Welt treten hier auf. Östlich dieses Parkteils liegt der bescheidene *Zoologische Garten*, im Südosten steht das *Meteorologische Observatorium*, nach Süden zu schließt sich die *Rosaleda* (Rosengarten) an.

Über das Parkgelände verstreut sind zahlreiche Brunnen (besonders die *Fuente de la Alcachofa* = Artischokkenbrunnen, aus dem 18. Jh.), Denkmäler, zum Beispiel das als Brunnen gestaltete Denkmal (1922) des Histologen und Nobelpreisträgers *Santiago Ramón y Cajal*, 1852—1934, und Statuen wie der eigenartige *Ángel Caído* (Gefallener Engel) in der Nähe des Rosengartens. Von der *Plaza del Ángel Caído* aus können wir den Retiro-

Denkmal Ramón y Cajal

Park durch die *Puerta del Ángel Caído* (in der Nähe das *Astronomische Observatorium*) verlassen und befinden uns dann auf der *Calle de Alfonso XII* gegenüber dem *Botanischen Garten*.

Unser Stadtrundgang indessen wird von der Plaza de la Cibeles aus in südlicher Richtung fortgesetzt. Wir gehen auf dem breiten *Paseo del Prado*, einem Abschnitt der großen östlichen Madrider Prachtstraße, zur *Plaza Cánovas del Castillo*. Dabei kommen wir an der links gelegenen *Plaza de la Lealtad* vorbei, auf dem ein *Obelisk* (1821—48) an die Ereignisse des 2. Mai 1808 erinnert. Von der mit einem *Neptunsbrunnen* (18. Jh.) geschmückten

Plaza Cánovas del Castillo [17] aus gehen wir zu Besichtigungen in einige Nebenstraßen. An der *Plaza de las Cortes* (rechts) steht der *Palacio de las Cortes Españolas*, die 1850 fertiggestellte Abgeordnetenkammer [18]. An der ebenfalls nach rechts (Südwesten) abzweigenden *Calle de Cervantes* liegen die *Casa de Lope de Vega* [19] (Haus Nr. 11), das zu einem Museum ausgestaltete ehemalige Wohnhaus des in Madrid geborenen großen Dramatikers *Lope de Vega* (1562—1635), und einige Häuser weiter (Nr. 2) das Haus, in dem der Dichter *Cervantes* 1616 gestorben ist. Am Beginn der Calle de Cervantes zweigt nach rechts die *Calle del Duque de Medinaceli* ab; an ihr liegt die Geschäftsstelle der *Dirección General de Turismo*. — Östlich der Plaza Cánovas del Castillo und über die *Calle de Felipe IV* erreichbar liegen das Armeemuseum, die *Academia de la Lengua* und die erhöht über dem Prado-Museum stehende Kirche *San Jerónimo el Real* (um 1500; im 19. Jh. durchgreifend restauriert). Südöstlich der Plaza befindet sich die Sehenswürdigkeit, derentwegen allein schon Madrid eine Reise wert ist, das *Museo del Prado*.

MUSEO DEL PRADO

Dieses Museum wird in aller Welt kurz *Prado* genannt. Das langgestreckte, vorwiegend klassizistische Museumsgebäude entstand in der Zeit von 1785 bis 1830 und wurde in den letzten Jahren, zuletzt 1968, erweitert. Das von *Karl III.* geschaffene *Naturkundliche Museum,* das in diesem Gebäude untergebracht war, wurde unter *Ferdinand VII.* durch die heutige Gemäldegalerie ersetzt, deren Grundstock die von Kaiser *Karl V.* und von König *Philipp II.* gesammelten Gemälde darstellten. Diese Gemälde, ferner die Sammlungen späterer Könige, sodann Bilder aus kastilischen Klöstern, die unter der Regierung *Isabellas II.* aufgehoben wurden, endlich neuere Erwerbungen (Kauf und Legate) bilden heute einen der kostbarsten Kunstschätze Europas. In Anbetracht der großen Zahl von Kunstwerken (allein rund 3000 Gemälde) ist es wenig sinnvoll, während eines einzigen und vielleicht auch noch ziemlich kurzen Besuchs das ganze Museum zu durcheilen (eine gründliche Besichtigung erfordert Wochen). Die folgenden Hinweise auf die wichtigsten Kunstwerke in den einzelnen Sälen sind daher als Orientierungshilfe bei der Beschränkung auf bestimmte Künstler oder auf besonders berühmte Werke gedacht. Das Museum ist in den Sommermonaten von 10—18 Uhr, in den Wintermonaten von 10—17 Uhr, sonn- und feiertags immer von 10—14 Uhr geöffnet. Im Museumsgebäude befindet sich ein Restaurant. Gute und nicht zu teure deutschsprachige Museumsführer sind im Foyer zu haben.

Wir betreten das Museum durch den gegenüber dem Luxushotel *Ritz* und dem *Goya-Denkmal* (1902) von *Benlliure* gelegenen Nordeingang, und zwar durch den oberen Eingang, der

Der Prado

den Zugang zum Hauptgeschoß bildet. Hier befindet sich das Foyer, eine kreisrunde Vorhalle mit acht ionischen Säulen, in deren Mitte die 1564 von *Leone Leoni* geschaffene Statue Kaiser *Karls V.* steht (die Rüstung kann abgenommen werden). Von diesem Foyer (auch Rotunde oder Saal I genannt) aus besuchen wir zunächst die Säle II bis IX, die der *italienischen Malerei* vorbehalten sind.

Saal II: „Der Kardinal“ (1510) von *Raffael.*

Saal III: „Die Verkündigung“ (um 1445) von *Fra Angelico.*

Saal IV: „Der Tod Mariens“ (15. Jh.) von *Andrea Mantegna.*

Saal V: „Lucretia di Baccio del Fede“ von *Andrea del Sarto* (1486—1531); „Noli me tangere“ (1525) von *Correggio.*

Saal VI: Werke der *venezianischen Schule.*

Saal VII: „Die Schmerzensreiche“ von *Tizian* (1477—1576).

Saal VII A: Fast nur Werke von *Paolo Veronese* (1528—88), darunter „Jesus unter den Schriftgelehrten“.

Saal VIII: Werke *Tizians,* darunter „Venus ergötzt sich an der Musik“.

Saal VIII A: „Die Auffindung des Moses“ (1575) von *Paolo Veronese*; „Der Edelmann mit der goldenen Kette“ (um 1550) von *Tintoretto.*

Saal IX: *Tizian-Saal* mit zahlreichen Meisterwerken des großen Malers.

Saal IX A: Werke *Tintorettos,* darunter „Die Fußwaschung“.

Die untereinander verbundenen Säle X, XI und XXX sind *El Greco* (1541 bis 1614) vorbehalten.

Saal X: Vor allem Porträts.

Saal XI: Vorwiegend Szenen aus dem Leben Christi.

Saal XXX: „Die heilige Dreifaltigkeit“ (1577) um „Die Anbetung der Hirten“.

Die Säle XII—XV enthalten fast nur Werke von *Velázquez* (1599—1660).

Saal XII: Unter anderen: „Die Trunkenbolde“, „Der Prinz Balthasar Carlos“, „Die Übergabe von Breda“ und „Die Spinnerinnen“.

Saal XIII: Unter anderen: „Gekreuzigter Christus“ (Bild Nr. 1167, und nicht das themengleiche Bild Nr. 2903) und „Die Anbetung der Heiligen Drei Könige".

Saal XIV: Unter anderen vier Bilder von Hofnarren.

Saal XV: „Die Familie Philipps IV.", bekannter unter dem Namen „Las Meninas", das Meisterwerk des Malers.

Die Säle XVI—XXIII sind den *flämischen* und *niederländischen* Malern vorbehalten.

Saal XVI: Werke von *Rubens*, darunter „Die Anbetung der Heiligen Drei Könige" (1609).

Saal XVI A: Werke des *Anton van Dyck* (1599—1641), vorwiegend Porträts.

Saal XVII: Werke von *Rubens* (1577 bis 1640) und anderen Künstlern.

Saal XVII A: Werke von *van Dyck* und *Jakob Jordaens* (1593—1678).

Saal XVIII: Werke von *Rubens*, darunter „Der Liebesgarten" (1638).

Saal XVIII A: Werke von *Rubens*, darunter „Die drei Grazien" (um 1639).

Saal XIX: Werke von *Rubens* (Entwürfe für Wandteppiche).

Saal XX: Werke von *Rubens* und seinen Schülern.

Saal XXI: Werke der flämischen Schule, darunter Tierbilder von *Paul de Vos* (1596—1678).

Saal XXII: Werke der niederländischen Schule (17. Jh.).

Saal XXIII: Werke der niederländischen Schule, darunter „Die Königin Artemisia" (1634) von *Rembrandt*.

Es folgen nun wieder Säle mit *spanischer Malerei;* es handelt sich dabei vor allem um die große Galerie, die westlich der bisher behandelten Säle liegt und in die man unmittelbar vom Foyer aus gelangt. Gleich neben dem Foyer liegt der

Saal XXIV: Spanische Malerei des 15. Jh., darunter Arbeiten von *Pedro Berruguete* (um 1450—1503).

Saal XXV: Spanische Malerei des 16. und 17. Jahrhunderts.

Saal XXVI: Werke von *José de Ribera* (1591—1652; genannt *El Españoleto*), darunter „Jakobs Traum" und „Das Martyrium des heiligen Bartholomäus".

Saal XXVI A: Werke von *Francisco de Zurbarán* (1598—1664).

Dürer: Selbstbildnis

Saal XXVII: Werke von *Velázquez* und seinem Schüler und Schwiegersohn *Martinez del Mazo*.

Saal XXVIII: Werke von *Murillo* (1618—82), darunter „Die Unbefleckte Empfängnis von Soult".

Saal XXIX: Spanische Malerei des 16. und 17. Jh., besonders Werke von *Francisco de Herrera el Mozo* (1622 bis 1685) und *Claudio Coello* (1642—93).

Saal XXXII: Werke *Goyas*, darunter „Die unbekleidete Maja" und „Die bekleidete Maja".

Die Säle XXXIII—XXXVI sind der *französischen Malerei gewidmet*.

Saal XXXIII: „Ludwig XVI." von *A. F. Callet* (1741—1825).

Saal XXXIV: Unter anderen „Infantin María Ana Victoria de Borbón" von *N. Largillière* (1656—1746).

Saal XXXV: Unter anderen Landschaftsbilder von *Nicolas Poussin* (1593 bis 1664) und „Gartenfest" von *Antoine Watteau* (1684—1721).

Saal XXXVI: Werke von *Claude Lorrain* 1600—82), darunter „Die büßende Magdalena".

In den Sälen XXXVII—XXXIX sind Werke *italienischer Maler* des 17. und 18. Jh. zu sehen, darunter in Saal XXXIX mehrere Werke von *Tiepolo* (1696—1770).

Rechts vom Foyer liegen die Säle XL bis XLIV, in denen Werke alter *flämischer* und *deutscher* Meister zu sehen sind, darunter im Saal XLI je ein Triptychon von *Rogier van der Weyden* (um 1400—64) und von *Hans Memling* (um 1430—94), im Saal XLIII mehrere Werke von *Hieronymus Bosch* (um 1450—1516) und im Saal XLIV das „Selbstbildnis" (1498) und andere Werke von *Albrecht Dürer*.

Wir gehen nun von der Rotunde (Foyer) aus ins Erdgeschoß und besichtigen hier im Saal LI (Rotunde) die kleine *romanische Kapelle*, deren Decke und Wände mit Malereien aus dem 12. Jh. geschmückt sind. Es handelt sich um Wandmalereien, die von den Wänden der Kapelle von *La Cruz de Maderuelo* (Segovia) vorsichtig gelöst und hier im Prado wieder angebracht worden sind. Durch den Saal L (spanische Altarbilder vorwiegend aus dem 15. Jh.) kommt man in den langgestreckten Saal XLIX, in dem Werke spanischer Maler des 16. Jh. zu sehen sind. Der sich anschließende Saal XLVIII ist ein Gang, der zu den *Goya-Sälen* LIII—LVII A führt.

Saal LIII: Zeichnungen und Entwürfe von Goya.

Saal LIV: Gemälde, vorwiegend Porträts von Goya.

Saal LV: Entwürfe Goyas für Wandteppiche (hauptsächlich Volksszenen).

Saal LV A: Historische Gemälde, darunter die beiden auf Seite 19 im Zusammenhang mit der Geschichte Madrids erwähnten, und Porträts, darunter ein Selbstbildnis Goyas.

Saal LVI: Weitere Entwürfe zu Wandteppichen.

Saal LVI A: Die sogenannte „Schwarze Malerei", bizarre, phantastische und schaurige Bilder, die der alternde Goya an die Wände seines Landhauses gemalt hat und die, da der Maler Ölfarben benutzt hatte, später auf Leinwand übertragen werden konnten.

Saal LVII: Weitere Entwürfe zu Wandteppichen.

Saal LVII A: Entwürfe zu Wandteppichen, Porträts und Gemälde, darunter zwei, die das Fest des Stadtpatrons Isidro darstellen.

Im Saal LVIII ist der größte Teil der *Skulpturensammlung* des Prados ausgestellt. Es handelt sich in erster Linie um alte Kopien griechischer Werke.

Die sich anschließenden Säle LIX bis LX A sind wiederum alten *flämischen* und *deutschen* Meistern vorbehalten und bilden eine Einheit mit den Sälen XL—XLIV des Hauptgeschosses.

Die Säle LXI—LXV enthalten Werke großer spanischer Maler, und zwar *Murillos* (Säle LXI und LXII), *Riberas* (Säle LXI A und LXII A), von *Alonso Cano* (1601—67) und *Juan Carreño de Miranda* (1614—85) im Saal LXIII, von *Francisco Ribalta* und *Zurbarán* im Saal LXV.

Flämischen Malern sind wieder die Säle LXVI und LXVII gewidmet, und zwar *David Teniers dem Jüngeren* (1610 bis 1690) und *Jan Brueghel* (1568 bis 1625), dem sogenannten Samt- oder Blumen-Brueghel.

Im Saal LXIX ist die *Cafetería* untergebracht.

Von den restlichen Sälen des Erdgeschosses verdienen Beachtung der Saal LXXI wegen der „Dame von Elche", einer sehr schönen Büste, die bei *Elche* (in der Nähe von Alicante) gefunden wurde und wahrscheinlich aus dem 5. Jh. v. Chr. stammt; der Saal LXXIII, in dem der wertvolle „Schatz des Dauphin" aufbewahrt wird; der Saal LXXV wegen zahlreicher Werke von *Rubens* und seiner Schule.

FORTSETZUNG DES RUNDGANGS

Wir setzen unseren Stadtrundgang auf dem Paseo del Prado fort und kommen am Botanischen Garten vorbei zur großen *Plaza del Emperador Carlos V* [21], die meist *Glorieta de Atocha* genannt wird. Hier liegt die *Estación de Atocha*, von der die Züge nach den südspanischen Küstenstädten fahren. An der Nordseite des Bahngeländes entlang führt die *Avenida de la Ciudad de Barcelona* zu der noch im Bau befindlichen Kirche *Nuestra Señora de Atocha* [22], zu der das *Panteón de Hombres Ilustres* gehört. In diesem Pantheon (geöffnet von 10—13.30 und 16—19 Uhr; sonn- und feiertags geschlossen) sind große spanische Staatsmänner des 19. Jh. und der ersten Jahrzehnte des 20. Jh. beigesetzt.

Von der Glorieta de Atocha aus können wir mit der Metrolinie 1 zur Puerta del Sol zurückfahren. Für die Fortsetzung der Stadtbesichtigung nimmt man ein Taxi und fährt — besonders, wenn man am Sonntagvormittag unterwegs ist — auf dem *Paseo General Primo de Rivera* und der *Ronda de Toledo* bis zur *Ribera de Curtidores* oder auch noch einige hundert Meter in die Ribera hinein, um den *Rastro*, den Madrider Flohmarkt, zu besuchen, der sich fast in der ganzen Ribera de Curtidores abspielt, dessen Zentrum aber die *Plaza del Rastro* [23] ist.

Zur Ergänzung der Eindrücke, die man auf dem Rastro gewinnt, sollte man, statt zur Ronda de Toledo zurückzugehen, den Rundgang durch das der Plaza del Rastro benachbarte Viertel fortsetzen. Wir gehen also den Weg *Cerrillo del Rastro—Mira el Río Alta* und erreichen so die *Calle de Toledo*, der wir nach links bis zur *Glorieta de la Puerta de Toledo* [24] folgen. Auf diesem Platz steht die 1813—27 errichtete *Puerta de Toledo*, die an die Rückkehr König *Ferdinands VII.* aus französischer Gefangenschaft erinnert. In spitzem Winkel zur Calle de Toledo geht von dem Platz die *Avenida Reyes Católicos* aus, die an der *Plaza de San Francisco* endet. Hier steht die Kirche

San Francisco el Grande [25]. Die Kirche ist ein überkuppelter Rundbau aus der zweiten Hälfte des 18. Jh. Die Kuppel hat einen Durchmesser von 33 m (das Pantheon in Rom, das in mancher Hinsicht für diese Kirche als Vorbild gedient hat, besitzt eine Kuppel mit einem Durchmesser von 43,40 m). Das prunkvolle Innere ist mit vielen beachtenswerten Kunstwerken ausgestattet. Die Statuen der zwölf Apostel wurden von Bildhauern der zweiten Hälfte des 19. Jh. geschaffen (z. B. von *Suñol* und *Benlliure*). Auch die Malereien sind Arbeiten von Künstlern des späten 19. und des 20. Jh. (z. B. von *Francisco Pradilla y Ortiz*, 1848—1921). In der ersten Kapelle links befindet sich aber ein Gemälde von *Goya* („Predigt des heiligen Bernardin von Siena"). Führungen durch die Kirche werden von 11—13 und von 16—19 Uhr veranstaltet.

Wir schlagen nun die *Calle de Bailén* ein, die in 23 m Höhe über die *Calle de Segovia* hinwegführt. Von dem 1935 erbauten Straßenviadukt aus fahren wir mit einem Fahrstuhl zur *Calle de Segovia* hinunter und machen dann mit einem Taxi folgenden Abstecher. Wir fahren die Calle de Segovia nach Westen, überqueren den Manzanares (*Puente de Segovia* [26], in der zweiten Hälfte des 16. Jh. erbaut und 1935 verbreitert) und fahren dann auf dem *Paseo de Ermita* nach den beiden sehenswerten Friedhöfen *San Justo* und *San Isidro*. Gegenüber diesen Friedhöfen liegt am Ufer des Manzanares die *Pradera de San Isidro*, die im Mai der Hauptschauplatz des *Isidro-Festes* ist. Dieses Volksfest ist mit Opern- und Theateraufführungen, Stierkämpfen, sportlichen Wettkämpfen und anderen Ereignissen verbunden und zieht so die ganze Stadt in seinen Bann. Von seiner volkstümlichsten Seite zeigt es sich auf der Pradera de San Isidro. — Wir können von hier auf dem Weg, den wir gekommen sind, zurückfahren oder aber unseren Abstecher zu einer Rundfahrt ausgestalten. Im letzten Fall fahren wir auf dem *Paseo de San Illan* zum *Puento de Toledo* (1720—32 von *Pedro de Ribera* erbaut), überqueren den Manzanares und die *Glorieta de las Pirámides* und kommen dann über die Calle de Toledo, die Glorieta de la Puerta de Toledo und die Avenida Reyes Católicos wieder zu dem Straßenviadukt, über den hinaus wir bis zur Einmündung der Calle Mayor in die Calle de Bailén weiterfahren. Hier beginnt ein neuer Abschnitt unserer Stadtbesichtigung.

An der linken Seite der Calle de Bailén steht die

Catedral de la Almudena [27], an der schon seit über siebzig Jahren gebaut wird. Fertiggestellt ist die 130 m lange Unterkirche, während die Oberkirche — von der Fassade abgesehen — erst im Rohbau erstellt ist (ein Ende der Bauarbeiten ist nicht abzusehen). Die Kirche soll an der Stelle der jetzigen Kathedrale San Isidro Bischofskirche werden.

Vom Vorplatz der Kathedrale ist durch ein Gitter die *Plaza de Armas* abgetrennt, der Schloßhof des

Palacio Real [28], der heute vielfach auch *Palacio Nacional* genannt wird. Der mächtige um einen Innenhof herum angelegte vierflügelige Bau, an den sich nach Süden hin beiderseits der Plaza de Armas zwei Flügel anschließen, wurde in der Zeit von 1738—1764 an der Stelle des alten maurischen *Alcázars* errichtet. Der Entwurf stamm-

Palacio Real

te von dem aus Messina gebürtigen und vorwiegend in Turin tätig gewesenen Barockbaumeister *Filippo Juvarra* (1676—1736), die Ausführung lag in den Händen des Turiner Baumeisters und Bildhauers *Giovanni Battista Sacchetti*. Die beiderseits der Plaza de Armas gelegenen Flügel wurden erst Mitte des 19. Jh. angebaut. Von der Bogenhalle des westlichen dieser beiden Flügel hat man einen prächtigen Blick auf den *Campo del Moro* (Schloßpark), das Tal des *Manzanares*, die *Casa de Campo* (siehe unten) und die *Sierra de Guadarrama*. Im nördlichen Teil dieses Flügels befindet sich die *Armería*, die berühmte und höchst sehenswerte Waffensammlung der spanischen Könige (geöffnet von 10—12.45 und von 16—18.15 Uhr, sonn- und feiertags von 10—13.30 Uhr).

Der Hauptteil des Schlosses, nämlich die Vierflügelanlage um den Innenhof, bildet wegen ihrer reichen Innenausstattung ein einziges Museum. Der wertvollste Teil der Ausstattung sind die rund 2500 Wandteppiche, die hauptsächlich aus dem 15. und 16. Jh. stammen und vorwiegend in flämischen und spanischen Werkstätten hergestellt worden sind. In der Nordostecke des Schlosses nimmt die ehemals *Königliche Bibliothek* (über 200 000 Bände) 19 Säle ein. Im Binnenhof stehen Statuen der vier in Spanien geborenen römischen Kaiser *Traian* (geboren 53 n. Chr. in *Italica* bei *Sevilla*), *Hadrian* (geboren 76 ebenfalls in Italica), *Theodosius I.* (geboren 347 wahrscheinlich in *Cauca*, dem heutigen *Coca* südlich von *Valladolid*) und *Honorius* (geboren 384; der Ort ist nicht mit Sicherheit bekannt). Das Schloß kann von 10—12.45 und von 16—18.15 (im Winter von 15.30—17.45) Uhr besichtigt werden; sonn- und feiertags (ausgenommen der 1. Januar, Karfreitag und der 25. Dezember) von 10—13.30 Uhr; an Tagen offizieller Empfänge sind keine Besichtigungen möglich.

Der Ostfassade des Schlosses ist die 1841 geschaffene *Plaza de Oriente* vorgelagert. In der Mitte des Platzes steht ein Reiterstandbild König *Philipps IV.*, für das *Galilei* die statischen Berechnungen vorgenommen hat. Den Entwurf schuf der große spanische Bildhauer *Juan Martínez Montañés*; er lehnte sich dabei an eines der Reitergemälde an, die *Velázquez* von *Philipp IV.* gemalt hat (vielleicht an das heute im Saal XII des Prados hängende). Der Guß wurde von dem Florentiner *Pietro Tacca* (1577—1640) ausgeführt. Die Sockelreliefs sind moderne Arbeiten. Im übrigen ist die Plaza de Oriente mit Statuen westgotischer und spanischer Könige und Königinnen geschmückt. An der Ostseite steht das *Teatro Real* (19. Jh.), auch *Gran Teatro* genannt (die Theatersaison beginnt in Madrid im September und endet im April). Von der Plaza de Oriente aus sind es durch die *Calle Pavía* nur wenige Schritte bis zum

Convento de la Encarnación [29]. Das Kloster wurde 1615/16 als Gründung *Margaretes von Österreich*, der Schwester Kaiser *Ferdinands II.* und Gattin König *Philipps III.*, erbaut (die Fassade wurde 1755 erneuert). Es ist heute eine Art *Museum des Hauses Österreich*, an das zahlreiche Porträts erinnern.

Wir gehen zurück zur Calle de Bailén und kommen, nach Norden gehend, an den *Jardines Sabatini* (links) und am *Museo del Pueblo Español* [30] vorbei. In diesem Museum des spanischen Volkes sind Trachten, Gebrauchsgegenstände und kunsthandwerkliche Arbeiten zu sehen (geöffnet von 10—13.30 und 16—18 Uhr).

Die Calle de Bailén endet an der

Plaza de España [31]. Auf diesem Platz steht das große *Cervantes-Denkmal* mit den beiden bedeutendsten Romanfiguren, die Cervantes geschaffen hat, mit *Don Quijote* und *Sancho Pansa*. Hinter dem Denkmal erhebt sich das 107 m hohe *Edificio de España* (darin unter anderem das 356 Zimmer zählende Luxushotel *Plaza*, ein Schwimmbad und eine Aussichtsterrasse, die ab 11 Uhr aufgesucht werden kann). Dem Edificio de España schräg gegenüber

Cervantes-Denkmal

(an der Nordwestseite der Plaza de España) steht das höchste Gebäude Madrids, die *Torre de Madrid* (124 m; darin unter anderem ein Aussichtscafé). An der Südwestseite der Plaza de España läuft die *Calle de Ferraz* entlang, die nach dem nur wenige Schritte entfernten *Museo Cerralbo* (*Calle Ventura Rodríguez 17*) führt. Es handelt sich hier um eine ursprünglich private Gemäldesammlung mit Werken großer spanischer und ausländischer Meister. Die Öffnungszeiten schwanken; man erkundigt sich am besten beim Verkehrsverein.

Die Plaza de España ist ein guter Ausgangspunkt für einige größere Abstecher. Zum ersten gehen wir den *Paseo de Onésimo Redondo* hinunter, biegen nach Passieren der Jardines Sabatini nach links ein, um das *Museo de Carrozas* (Kutschenmuseum mit Kutschen aus vier Jahrhunderten; geöffnet wie der Palacio Real) zu besichtigen und einen Spaziergang durch den Schloßpark (Campo del Moro) zu machen, und gehen dann zum Paseo de Onésimo Redondo zurück. Wir folgen diesem Paseo bis zur *Estación del Norte* (Nordbahnhof; Verbindungen nach Nordspanien und nach dem portugiesischen *Porto*) und weiter zum *Puente del Rey*, der den Manzanares überspannt. Jenseits des Manzanares liegt das weite Gelände der *Casa de Campo* [32], des Stadtparks von Madrid, der zum größten Vergnügungspark Spaniens ausgebaut wird (künstlicher See; Badeanlagen; Sportplätze; Zoo; Einschienenbahn; Freilichttheater; Jugendherberge und vieles andere mehr). Das Gelände war früher ein Teil der königlichen Gärten. Aus dieser Zeit stammt noch die 1718 erbaute kleine Kirche.

Wir können nun den Weg, den wir gekommen sind, bis zur Plaza de España zurückgehen oder aber vor der Estación del Norte nach links in den *Paseo de la Florida* einbiegen. Wir kommen dann zur

Ermita de San Antonio de la Florida [33]. Man kann die Ermita von der Casa de Campo aus auch über den *Puente Reina Victoria* erreichen. Die Kapelle wurde 1792—98 von *Juan de Villanueva* erbaut, ihre Kuppel 1798/99 von *Goya* ausgemalt (unter anderen Darstellung eines dem heiligen Antonius von Padua zugeschriebenen Wunders). Die Fresken zählen zu Goyas besten religiösen Werken. Der große Maler ist im Chor der Kapelle beige-

San Antonio de la Florida

setzt; der Kopf fehlt allerdings (er ist auf ungeklärte Weise zwischen der Beisetzung des Leichnams in Bordeaux — dort starb Goya 1828 — und der Überführung nach Madrid verloren gegangen). Die Kapelle kann von 10—13 und von 16—19 Uhr (im Winter von 15.30—18 Uhr), sonn- und feiertags von 10—13 Uhr besichtigt werden. Neben dieser Kapelle steht eine 1928 erbaute Kapelle, in der im Gegensatz zur Grabkapelle Goyas Gottesdienste stattfinden. Diese Kapelle ist der Mittelpunkt der Kirmes, die in der Woche des Antoniusfestes (13. Juni) stattfindet. Am Antoniustag kommen die Mädchen, mit dem typischen Madrider Kopftuch und dem *mantón madrileño* (Madrider Schultertuch) geschmückt, zur Kapelle, um den heiligen Antonius zu verehren.

Wir gehen an der Estación del Norte vorbei zur Plaza de España zurück, können aber auch den Weg durch die östlich der Bahnanlagen gelegenen *Jardines Públicos*, die sich an den *Parque del Oeste* anschließen, einschlagen.

Das Ziel des nächsten Abstechers ist die moderne und weit ausgedehnte

Ciudad Universitaria, die Universitätsstadt. Wem es nichts ausmacht, noch einmal ein größeres Stück Wegs zu Fuß zurückzulegen, geht von der Ermita de San Antonio de la Florida aus unter den Bahnanlagen hindurch zur *Rosaleda* (Rosengarten) und dann durch den *Parque del Oeste* (im engeren Sinn) hindurch zur *Avenida del Arco de la Victoria*, an der das Universitätsgelände beginnt. Andernfalls fährt man von der Plaza de España aus mit der Autobuslinie 33 oder mit der Metro-

Teil der Universitätsstadt

linie 3 zur *Plaza de los Mártires de Madrid*, die meistens *Plaza de la Moncloa* genannt wird und an der der mächtige Bau des *Ministerio del Aire* (Luftfahrtministerium; 1950) steht. Wir gehen von hier aus zum *Arco de la Victoria* (1956), der das Eingangstor zur Universitätsstadt bildet. Die erste Universitätsstadt wurde im Spanischen Bürgerkrieg zum größten Teil zerstört. Die heutige nach dem Bürgerkrieg nach und nach entstandene und noch nicht vollendete Stadt ist eine moderne, weiträumige Anlage. In der Nähe des Arco de la Victoria steht der *Palacio de América*, in dem sich das *Museo de América* befindet. Die Sammlungen dieses Museums beziehen sich in erster Linie auf die präkolumbianischen Kulturen Amerikas. 1967 ist aber auch eine Abteilung für amerikanische und philippinische Volkskunst geschaffen worden, die mit rund 5000 Ausstellungsstücken wohl die größte Sammlung dieser Art auf der Erde ist. Das Museum ist außer montags von 10—13 Uhr geöffnet.

Wir fahren von der Plaza de la Moncloa aus zur Plaza de España zurück und — wenn wir die Stadtbesichtigung beenden wollen — mit der Metro gleich weiter bis zur Puerta del Sol. Soll der Besichtigungsweg sich aber zum Kreis runden, dann fahren wir von der Plaza de la Moncloa nur bis zur Station *Argüelles*. Von dort ab benutzen wir einen Autobus der Linie 25 in Richtung *Narváez*. Es empfiehlt sich, auf dem Oberdeck vorn Platz zu nehmen. Wir fahren an der Nordgrenze der Altstadt entlang folgenden Weg: *Calle del Marqués de Urquijo—Calle de Alberto Aguilera—Calle de Carranza—Calle de Sagasta—Calle de Génova*. An der *Plaza de Colón* [34] (17 m hohes *Kolumbusdenkmal*) erreichen wir die Prachtstraße, von der wir den Abschnitt Paseo del Prado bereits kennen. Es lohnt sich, mit einem Autobus der Linie 14 diese Prachtstraße in nördlicher Richtung wenigstens bis zu den *Nuevos Ministerios* zu fahren. Die Prachtstraße führt zunächst den Namen *Paseo de la Castellana*. An ihr liegen zahlreiche großartige Gebäude, die *Casa de la Moneda* (Münze), die *Presidencia del Gobierno*, das Gebäude der Zeitung „A.B.C." und des *Radio Nacional*. Im nördlichsten Teil stehen auf der *Plaza de Castelar* das Denkmal des Schriftstellers, Historikers und Staatsmanns *Emilio Castelar y Ripoll* (1832—99), rund 300 m weiter das Denkmal des Marschalls *Gutiérrez de la Concha, Marqués de Duero* (1808 bis 1874), und schließlich am Ende der Castellana ein Denkmal der Königin *Isabella der Katholischen*. Die Königin ist zusammen mit ihrem Beichtvater, dem Kardinal, Großinquisitor und Staatsmann *Ximénez de Cisneros*, und mit dem Kriegshelden *Gonzalo de Córdoba*, dem *Gran Capitán*, dargestellt. Das Denkmal ist ein Werk von *Manuel Oms*. — In ihrem weiteren Verlauf führt die Prachtstraße den Namen *Avenida del Generalísimo Franco*. An dieser Straße stehen in dem Abschnitt zwischen der *Plaza de Isabel la Católica* und den Straßen *Raimundo Fernandez Villaverde/Joaquin Costa* zahlreiche wissenschaftliche Institute (rechts) und der Komplex der neuen Ministerien (links). Der Freund des Fußballsports wird noch etwas weiter fahren, um sich das in der Nähe der *Plaza de Lima* gelegene berühmte *Bernabéu-Stadion* anzusehen.

Zur Beendigung unseres Rundgangs gehen wir von der Plaza de Colón aus den *Paseo de Recoletos* (offizielle Bezeichnung: *Paseo de Calvo Sotelo*), den vornehmsten Teil der Madrider Prachtstraße, nach Süden. Links steht die uns schon bekannte Nationalbibliothek.

Nach rechts zweigt die *Calle de Doña Bárbara de Braganza* ab. An dieser Straße stehen das ehemalige *Salesianerinnenkloster* (heute Justizpalast) und die Mitte des 18. Jh. erbaute Barockkirche *Santa Bárbara* [35] (früher *Salesas Reales*). Im Innern der Kirche ist das 1765 von *Francisco Sabatini* geschaffene Marmorgrabmal König *Ferdinands VI.* und seiner Gattin, der portugiesischen Prinzessin *Barbara von Braganza*, zu sehen. Ferdinand und Barbara waren die Gründer des Salesianerinnenklosters.

Wir gehen zum Paseo de Recoletos zurück und folgen diesem bis zur Plaza de la Cibeles. Damit schließt sich der Kreis unseres Besichtigungsrundgangs durch die sehenswertesten Viertel Madrids.

PRAKTISCHE HINWEISE

✈ Flughafen *Barajas*, 13 km vom Stadtzentrum entfernt; Autobuszubringerdienst; Direktflüge nach allen spanischen Flughäfen, ferner unter anderen nach Düsseldorf, Frankfurt/M., Genf, Stuttgart und Zürich. *Lufthansa-Stadtbüro:* Edificio España, Avenida José Antonio 88.

Estación del Norte (auch *del Principe Pio* genannt): Verbindungen nach Nordspanien, ferner über Irún und Hendaye nach Paris und Deutschland, sodann nach Porto und Lissabon; — *Estación de Atocha* (auch *del Mediodía* genannt): Verbindungen nach Südspanien, und Tanger/Casablanca, ferner über Port Bou/Cerbère nach Südfrankreich, der Schweiz, dem Elsaß und Deutschland; — *Estación de Delicias*: Extremadura und Portugal.

Linienverbindungen bestehen nach rund 160 Orten der engeren und weiteren (sogar nach *Alicante* und *Murcia*) Umgebung. Alle Provinzhauptstädte Zentralspaniens sind direkt zuerreichen, ferner alle sonstigen Orte dieses Gebiets, sofern sie eine gewisse wirtschaftliche oder touristische Bedeutung haben.

„Fénix" (Luxus), Paseo de la Castellana 2 (in der Nähe der Plaza de Colón); „Meliá Madrid" (Luxus), Calle de la Princesa 29 (nicht weit von der Plaza de España); „Plaza" (Luxus), Edificio España, Plaza de España 8; „Ritz" (Luxus), Paseo del Prado (am Prado-Museum); „Carlton", Paseo de las Delicias 28 (in der Nähe des „Atocha"); „Residencia San Antonio de la Florida", Paseo de la Florida 13 (nahe der Estación del Norte); „Residencia Puerta de Toledo", Glorieta de la Toledo 2.

„Rosalía de Castro", Calle de San Bernardo 1 (nahe der Plaza de Santo Domingo); „Continental", Avenida José Antonio 44 (an der Plaza de Callao); „Gredos", Avenida José Antonio 52; „Alexandra", San Bernardo 29 und 31.

„Magerit", Avenida José Antonio 76; „Norte", Paseo de la Florida 1; „Universo", Puerta del Sol 13.

△ „Casa de Campo" (nur für Jungen), auf dem Gelände Casa de Campo (siehe Seite 31), Metrostation Lago an der Linie Plaza de España—Carabanchel. — „Santa María de la Almudena" (nur für Mädchen; geöffnet nur vom 1. Juli bis 20. September), auf dem Gelände der Ciudad Universitaria, Metrostation Cuatro Caminos der Linie 1 (Portazgo—Puerta del Sol—Plaza Castilla). — Jugendhotel „Puerta de Toledo", Glorieta de la Puerta de Toledo (Schlafräume mit 20 Betten, Einzelzimmer für Begleitpersonen).

© Madrid-Camping, Cerro de Aguila; Osuna, Alameda de Osuna-Canillejas; Castilla, Alcorcón; Arganda, Arganda del Rey. Diese Zeltplätze liegen innerhalb des Gebietes von Groß-Madrid; nur der von Arganda liegt ein wenig außerhalb dieses Gebietes.

Typische Restaurants: „A Chispa d'Ourense", Amor de Díos 9; „Casa Gallega", Plaza San Miguel 8; „Eskarikasko", Belén 20; „Heidelberg", Zorrilla 6; „Mesón del Segoviano", Cava Baja 35; „O'Pote", Principe 23; „Or-Kom-Pon", Miguel Moya 4; „Sidreria La Mina", Arenal 9.

Tanzlokale: „Barceló", Barceló 11; „Consulado", Atocha 38; „La Tuna", Andrés de la Cuerda 3; „Madison Club", Cea Bermúdez 10; „Metropolitano", Avenida Reina Victoria 12.

Tablaos de Baile Español (Lokale mit typisch spanischen Tänzen, besonders Flamenco): „Arco de Cuchilleros", Cuchilleros 7; „Corral de la Morería", Morería 13; „Los Canasteros", Barbieri 10; „Torres Bermejas", Mesonero Romanos 15.

Kabaretts (Nachtlokale spanischen Stils, also vor allem ohne extreme Striptease-Darbietungen): „Alcázar", Alcalá 20; „Cactus", Tetuán 27; „Casablanca", Plaza del Rey 7; „Club Melodias", Desengaño 5; „El Biombo Chino", Isabel la Católica 6; „El Cisne Negro", Cartagena 89; „J'Hay", Avenida José Antonio 54; „Molino Rojo", Tribulete 16; „River Club", Leganitos 41; „Tabarín", San Bernardo 5; „Teyma", Plaza del Callao 4.

Information: Oficina de Información del Turismo, Torre de Madrid, Plaza de España, und Calle Duque de Medinaceli 2, außerdem in der Empfangshalle des Flughafens Barajas. Oficina Municipal de Información (Städtisches Verkehrsbüro), Plaza Mayor 3. — In englischer und französischer Sprache erscheint als Tageszeitung die Touristenzeitung „*Ct-Press*" (Correo del Turista). Sie bringt neben dem für eine Tageszeitung üblichen Stoff Mitteilungen über Veranstaltungen (Stierkämpfe, Konzerte usw.), Ausflüge und andere Dinge, die für den Touristen von Interesse sind. Man sollte sich diese Zeitung, sofern sie im Hotel nicht ausliegt, vom Portier besorgen lassen.

AUSFLÜGE

Ein Aufenthalt in Madrid ist ohne die Ausflüge nach dem *Pardo*, dem *Escorial*, dem *Valle de los Caídos*, in die *Sierra de Guadarrama*, nach *Alcalá de Henares*, *Aranjuez* und *Toledo* kaum denkbar. Damit ist das Ausflugsprogramm der Madrider Reisebüros aber keineswegs erschöpft. Es werden auch Ausflugsfahrten nach *Ávila*, *Segovia* und nach vielen anderen Orten in der Umgebung Madrids angeboten. Die meisten dieser Ausflugsziele werden im Zusammenhang mit den Routen ab Seite 42 beschrieben. Hier werden nur die vier zuerst genannten Ausflugsziele behandelt.

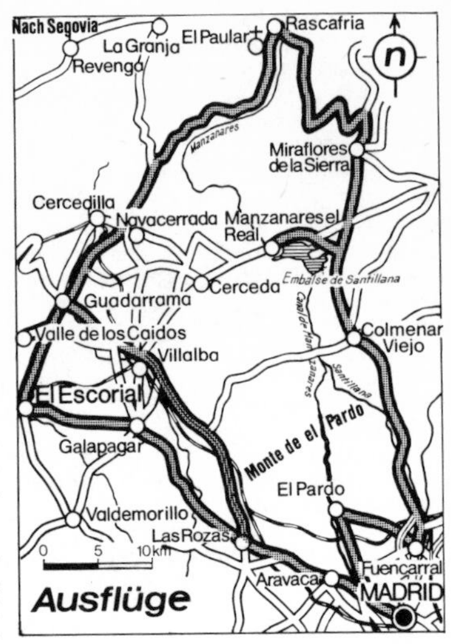

Pardo—Guadarrama—Escorial. Wir verlassen Madrid auf der durch die *Ciudad Universitaria* führenden N. VI (Richtung *La Coruña*) und kommen zunächst zur *Puerta de Hierro* (Eisernes Tor), das Mitte des 18. Jh. errichtet wurde. Hier zweigt nach rechts die Straße zum *Pardo* ab, die durch den ehemaligen königlichen Wildpark verläuft. Der Park ist von einer rund 100 km langen Mauer umgeben. In ihm liegen die Terrains des Golf- und Poloklubs Puerta de Hierro (Treffpunkt der gesellschaftlich führenden Kreise Madrids), das wenig ansehnliche Dorf Pardo und in dessen Nähe *El Pardo*, der im 16. Jh. erbaute königliche Palast, der heute Residenz des spanischen Staatschefs ist und nicht besichtigt werden kann. In der Nähe des Palastes stehen die ehemalige Hofkirche und vor allem die wegen ihrer Innenausstattung besichtigenswerte *Casita del Príncipe* (18. Jh.).

Vom Pardo aus fahren wir auf einer Nebenstraße nach *Fuencarral*, das an der N. I (Richtung *Burgos*) liegt. Etwa 1 km nördlich von Fuencarral verlassen wir die N. I und biegen nach links in die nach *Colmenar Viejo* führende Straße ein. Wir kommen an der *Ermita de Nuestra Señora de Valverde* (16. Jh.) vorbei, in deren Kirche ein Muttergottesbild aufbewahrt wird, das aus vormaurischer Zeit stammen soll und Wallfahrtsziel ist. In dem Städtchen Colmenar Viejo ist die Pfarrkirche wegen ihres plateresken Hochaltars (1579) einen Besuch wert. 8 km nördlich von Colmenar biegen wir zu einem Abstecher (7 km je Weg) nach dem 45,6 Millionen cbm fassenden Stausee *Santillana* und nach dem am Westende des Sees gelegenen kleinen Luftkurort *Manzanares el Real* (908 m) ab. Der Ort wird von einer aus dem 15. Jh. stammenden und verhältnismäßig gut erhaltenen Burg überragt. In der Nähe des Ortes liegt die *Pedriza de Manzanares*, ein Felsenmeer mit mächtigen Granitblöcken.

Wir fahren zur Hauptstraße zurück und folgen ihr weiter nach Norden. Die Sommerfrische *Miraflores de la Sierra* (1150 m) liegt, wie der Name sagt, bereits im Gebirge, und zwar in der Sierra de Guadarrama, in die wir nun weiter hineinfahren. Auf landschaftlich recht reizvoller Straße kommen wir über den 1782 m hohen *Puerto de la Morcuera* (Paß) nach dem im *Lozoyatal* gelegenen *Rascafría*, von wo aus wir, das Lozoyatal aufwärts fahrend, das *Monasterio El Paular* erreichen. Dieses älteste Kartäuserkloster Kastiliens (heute gehört es den Benediktinern von Montserrat) wurde 1390 gegründet. Die Kirche ist im wesentlichen ein Barockbau aus der zweiten Hälfte des 18. Jh. Von der durch ein Erdbeben schwer beschädigten älteren Kirche blieben erhalten der Marmorhochaltar (15. Jh.) und die bereits barocke und reich ausgestattete *Capilla del Tabernáculo* (1724).

Über die Pässe *Puerto de los Cotos* (1830 m) und *Puerto de Navacerrada* (1849 m) kommen wir nach *Navacerrada*. Das Gebiet von Puerto de Navacerrada und Navacerrada selbst wird von den Madridern im Sommer und im Winter gern aufgesucht. Es ist das Zentrum des Wintersports in der Sierra de Guadarrama (die Wintersporteinrichtungen sind 1967/68 verbessert worden; die direkte Zufahrtstraße ist von *Villalba* aus jetzt auch im Winter befahrbar). ,,Hostal del Arcipreste de Hita"; ,,La Barranca"; ,,Arias" und ,,El Corzo" in Puerto de Navacerrada.

Bei der Sommerfrische *Guadarrama* (,,Miravalle"; ,,Calderón") stoßen wir auf die nach Madrid führende N. VI, die wir überqueren. Wir fahren in Richtung *El Escorial* weiter, biegen aber nach etwa 2 km nach rechts ab, um das *Valle de los Caídos*, das Tal der Gefallenen, zu besuchen. In diesem im Durchschnitt 1300 m hoch gelegenen Tal der Sierra de Guadarrama ist in den Jahren 1940 bis 1959 eine monumentale Gedenkstätte für die Gefallenen des Spanischen Bürgerkriegs geschaffen worden. Sie besteht aus einer 262 m langen, 20 m breiten und 35 m hohen in den Felsen hineingesprengten unterirdischen Kirche und einem auf dem Felsen über der Kirche stehenden mächtigen Kreuz. In sechs Seitenkapellen der Kirche ruhen Gebeine von Gefallenen. An der Innenausstattung der Kirche haben sich zahlreiche Künstler beteiligt. Das die Vorhalle von der Kirche trennende schmiedeeiserne Gitter schuf *José Espinos*, das Mosaik (,,Jüngstes Gericht") in der Kuppel ist von *Santiago Padrós*, das Hochaltarkreuz von *Beovide*. Alt sind die an den Seitenwänden hängenden acht Wandteppiche; sie wurden 1540 von *Wilhelm Pannemaker* in Brüssel hergestellt. Das auf dem Felsgipfel stehende Kreuz ist 150 m hoch; die in 125 m Höhe angebrachten Kreuzesarme sind 48 m lang. Zu Füßen des Kreuzes stehen die 18 m hohen Statuen der vier Evangelisten und der vier Kardinaltugenden, Werke von *Juan de Avalos*. Zu der Gedenkstätte gehört das an der Rückseite des Felsens gelegene Benediktinerkloster, eine sehr ausgedehnte Anlage mit Übernachtungsmöglichkeit für Fremde (*Hostería*).

Wir fahren zurück zur Straßengabelung und weiter nach *San Lorenzo del Escorial*, einem kleinen Ort, in dessen oberem Teil (*El Escorial de Arriba*) Kloster und Schloß *de San Lorenzo*, allgemein bekannt unter dem Namen *El Escorial*, stehen (,,Victoria Palace").

Aus Anlaß des am 10. August (Laurentiustag) 1557 von den Spaniern über die Franzosen bei *St-Quentin* errungenen Sieges gelobte König *Philipp II.*, dem heiligen *Laurentius* ein Kloster zu bauen. 1562 wählte der König den Bauplatz aus, 1563 begannen unter der Leitung des in Italien ausgebildeten *Juan Bautista de Toledo* die Bauarbeiten, die nach dem Tode von Juan Bautista (1567) von seinem Schüler *Juan de Herrera* weitergeführt und 1584 beendet wurden. Nur an einzelnen Teilen wurde später noch gearbeitet. Es mag dahingestellt bleiben, ob Juan Bautista bei der Zeichnung des Grundrisses an einen Rost, das Marterwerkzeug des heiligen Laurentius, gedacht hat. Wesentlicher ist, daß unter dem Einfluß Herreras, der der plateresken Gotik seiner Zeit völlig ablehnend gegenüberstand und der entschiedenste Verfechter eines Desornamentadostils, eines schmucklosen Stils, war, ein kahles, finsteres, festungs- und gefängnisartiges Bauwerk entstand, über dessen künstlerischen Wert auch die Kunstkritiker wohl nie

El Escorial

einer Meinung sein werden. Jedenfalls ist der Escorial eines der bedeutendsten Renaissancebauwerke Spaniens und zugleich wegen der Raumgestaltung ein Frühwerk des Barocks.

Der Bau bildet, wenn man von dem Vorsprung an der Ostseite absieht, ein Rechteck von 206 m Länge und 161 m Breite. Die Ecken sind zu 56 m hohen Türmen ausgebaut, die neben den Mittelrisaliten die einzigen belebenden Elemente der Fassaden sind. In eintönigen Reihen sind an den Außenfassaden rund 1100 Fenster angebracht. Der Nord- und der Westfassade ist die breite *Lonja* (vor der Westfassade auch *Plaza del Monasterio* genannt) vorgelagert, die ihrerseits nach Norden und Westen von alten Offiziengebäuden begrenzt wird.

Durch das in der Mitte der Westfassade gelegene Hauptportal betritt man den *Patio de los Reyes* (Hof der Könige), einen der 16 großen und kleinen Innenhöfe, die die Gebäudemasse gliedern. Der Hof der Könige ist 64 m lang und 38 m breit. Links liegt das *Colegio* (Gymnasium), rechts der *Convento* (Kloster). Die Ostseite nimmt die Kirche ein, deren Fassade von zwei 72 m hohen Glockentürmen flankiert wird und vor der die Statuen sechs israelischer Könige stehen, die dem Platz den Namen gegeben haben.

Die Kirche, deren Grundriß dem der *Peterskirche* in *Rom* sehr stark ähnelt, ist das Kernstück des gesamten Bauwerks. Man betritt die Kirche durch eine Säulenhalle, an die sich der sogenannte *Sotacoro* (Unterer Chor) anschließt, eine dem Grundriß nach und wegen des Gewölbes verkleinerte Vorwegnahme des Hauptraumes. Der Hauptraum hat die Form eines griechischen Kreuzes. Die vier wuchtigen Säulen, die den Raum in drei Schiffe gliedern, tragen die Kuppel, deren äußere Höhe 95 m beträgt. Die Gewölbe der Schiffe sind von dem italienischen Maler *Luca Giordano*, dem Hofmaler *Karls II.*, ausgemalt worden. Von den über 40 Altären der Kirche ist der marmorne Hochaltar in der *Capilla Mayor* der wertvollste. Sein Aufbau nimmt die gesamte Wand bis zum Gewölbe hinauf ein und ist damit rund 26 m hoch. Die in diesen mächtigen Altaraufbau eingeordneten Statuen sind in erster Linie Werke von *Pompeo Leoni* (Ende 16. Jh.). Beiderseits des Hochaltars befinden sich königliche Grabmäler, und zwar links das Kaiser *Karls V.*, rechts das König *Philipps II.* Die beiden Herrscher sind jeweils mit ihren Familienangehörigen in Bronzefiguren (Ende 16. Jh.) dargestellt. An dem Gang vom rechten Seitenschiff aus zur Sakristei befindet sich der Zugang zum *Panteón de los Infantes* (Grabstätte der königlichen Prinzen und Prinzessinnen) und zu dem reich ausgestatteten *Panteón de los Reyes*, in dem die spanischen Könige und Königinnen von *Karl V.* an bis auf wenige Ausnahmen beigesetzt sind.

Wir gehen hinauf und besichtigen die *Antesacristía* und die *Sacristía*. In der Sakristei befinden sich wertvolle Gemälde von *Tizian*, *Greco*, *Zurbarán* und *Claudio Coello*. Neben dem Eingang zur Antesacristía führt eine Treppe in den ersten Stock und dort zum *Coro alto* (Oberchor) mit seinem prächtigen Chorgestühl und zu einer Kapelle, in der ein „Christus am Kreuz“ (1562) von *Benvenuto Cellini* zu sehen ist.

Von der Antesacristía aus hat man auch Zugang zum *Claustro principal bajo* (Unterer Kreuzgang), der von den Statuen des in der Mitte stehenden kleinen Tempels her auch *Patio de los Evangelistas* genannt wird. An ihm liegen die Kapitelsäle und die sogenannte *Alte Kirche*, in denen sich eine Gemäldesammlung befindet.

Außer der an der Südseite des Patio de los Reyes gelegenen und mit Fresken geschmückten *Bibliothek* (hervorragende alte Handschriften, darunter der *Códice aureo* aus dem 11. Jh.) bleibt nun noch der *Palacio Real* zu besichtigen. Wir betreten den ehemaligen Königspalast durch das Mittelportal der Nordfassade. Aufmerksamkeit erheischen in den Räumen des größtenteils in ein Museum umgewandelten Palastes vor allem die über 300 Wandteppiche, die *Sala de las Batallas* mit einem 55 m langen Schlachtengemälde und die Gemächer *Philipps II.*, der 1598 im Escorial starb.

In den östlich des Klosters gelegenen *Jardines del Príncipe* ist die 1772 erbaute und geschmackvoll eingerichtete *Casita del Príncipe* einen Besuch wert. *Öffnungszeiten im Sommer:* Kirche von 7—13.30 und 15—18.30 Uhr; Pantheon, Kapitelsäle und Palacio Real 10—13 und 16—19 Uhr; Sakristei und Oberchor von 10—13 Uhr; Casita del Príncipe wie Pantheon; *im Winter beginnen und enden die Besichtigungszeiten 1 Stunde früher.*

Von El Escorial fahren wir über *Las Rozas* und *Aravaca* nach Madrid zurück. Insgesamt 211 km.

Toledo

Toledo (41 000 Einw.) liegt 58 km südsüdwestlich von Madrid auf einem vom *Tajo* auf drei Seiten umflossenen Mäanderkopf, auf dessen engem Raum sich die Häuser der Altstadt drängen. Nur mit Mühe findet man hier ein gerade verlaufendes Stück Straße; es scheint, als habe bei der Anlage der Straßen der Mäanderlauf des Tajos Pate gestanden. Zu dem maurisch-mittelalterlichen Straßennetz gesellt sich ein ebensolcher Baubestand, und beides zusammen macht den besonderen Reiz Toledos aus. Dem mittelalterlichen Stadtbild und den bedeutenden Bau- und Kunstdenkmälern verdankt es die Stadt, daß sie heute die touristische Hauptstadt Zentralspaniens ist. Allerdings ist es eine Hauptstadt, die von den allermeisten Touristen nur zu einem höchstens eintägigen Besuch (in erster Linie Ausflüge von Madrid aus) aufgesucht wird und in der man sich nur ganz selten länger aufhält. Die Hotels wären gar nicht in der Lage, die Touristenscharen unterzubringen (die ganze Provinz Toledo zählt nur rund 1100 Fremdenbetten), und nach der spätnachmittäglichen Abreise der Touristen ist Toledo nichts anderes als ein stilles und verschlafenes Provinzstädtchen, das dem Touristen keinerlei Kurzweil zu bieten hat.

GESCHICHTE

Der Legende nach entstand Toledo einige tausend Jahre vor Christi Geburt. Die ersten sicheren Nachrichten über die Stadt stammen dagegen erst aus römischer Zeit. Mitte des 6. Jh. wurde Toledo die Hauptstadt des westgotischen Reiches und 589, nach dem Übertritt der arianischen Westgoten zur katholischen Kirche, der religiöse Mittelpunkt Spaniens (noch heute ist der Erzbischof von Toledo der Primas Spaniens). In dieser Zeit fanden in Toledo mehrere Nationalsynoden statt, die sich gleichermaßen mit religiösen und politischen Angelegenheiten befaßten. Das 7. Jh. sah einige bedeutende Männer auf dem erzbischöflichen Stuhl von Toledo, zum Beispiel den heiligen *Eugen* (646—657), den Reformer des Kirchengesangs, und den heiligen *Ildefons* (657—667), den großen theologischen Schriftsteller der Westgoten.

Die Blütezeit der Stadt endete mit einem Schlage, als das Westgotenreich von den Mauren vernichtet wurde. 712 wurde Toledo eine maurische Stadt, die, obwohl viele bedeutende Mauren sie begünstigten, doch im Schatten der großen südspanischen Städte (Córdoba und Granada) stand.

1085 wurde Toledo von König *Alfons VI.* den Mauren entrissen. Wenige Jahre später war es Residenz der Könige von Kastilien und wieder religiöser Mittelpunkt des christlichen Spaniens. Maurische Einflüsse wirkten aber noch lange nach, zumal viele Mauren in der Stadt blieben. Die arabische Sprache wurde bis gegen Ende des 16. Jh. neben der spanischen gesprochen, der Mudéjarstil (siehe Seite 10) wurde hier ganz besonders gepflegt. Zu der christlichen und der maurischen Bevölkerungsgruppe kam eine jüdische, die fast ein Drittel der Einwohnerschaft (insgesamt 200 000) ausmachte. Die mauren- und judenfeindliche Politik der *Katholischen Könige* veranlaßte auch die toledanischen Mauren und Juden zur Flucht, und damit begann der Niedergang der blühenden Stadt, zumal wenige Jahrzehnte später auch noch Madrid anstelle von Toledo Hauptstadt Spaniens wurde. Als Kaiser *Karl V.* aber versuchte, die Freiheiten der spanischen Städte zu beschneiden, ging von Toledo der Aufstand der *Comuneros* (der Einwohner der kastilischen Städte) aus.

Erst in jüngster Zeit lenkte Toledo noch einmal die Aufmerksamkeit einer breiten Öffentlichkeit auf sich, als während des Spanischen Bürgerkriegs die Besatzung des Alcázar 70 Tage den Belagerern Widerstand leistete. Der Ruhm der Alcázar-Besatzung wirkt noch heute nach; das erste Ziel der meisten Besucher Toledos ist der Alcázar.

Blick auf Toledo

RUNDGANG

Von Madrid kommend, erreicht man zunächst die Vorstadt *Las Covachuelas* und kommt hier an dem rechts der Straße gelegenen *Hospital de Tavera* [1] vorbei. In dem in der zweiten Hälfte des 16. Jh. erbauten Gebäude befindet sich das *Museum der Herzogin von Lerma*, das aus reich ausgestatteten herrschaftlichen Wohnräumen im Stil des 17. Jh. besteht. Die Hospitalapotheke ist eine Nachbildung der Apotheke des 16. Jh. In der Hospitalkirche ist das letzte Werk des großen Bildhauers, Malers und Baumeisters *Alonso Berruguete* (um 1486—1561) zu sehen, das Grabmal des Kardinals *Juan de Tavera*, der das Hospital gegründet hat.

Auf dem *Paseo de Madrid* (rechts die Gartenanlage des *Paseo de Merchán*) fahren wir zur *Puerta Nueva de Bisagra* [2], einem mächtigen, von vier Türmen flankierten Doppeltor (Mitte 16. Jh.) mit einer Statue und zwei riesigen Wappen Kaiser *Karls V.* Beiderseits des Stadttores sind Teile der mittelalterlichen Stadtmauer zu sehen.

Sofern wir genügend Zeit haben, fahren wir nicht sofort durch das Stadttor in die Stadt hinein, sondern machen zunächst eine Rundfahrt um die ganze Stadt herum. Wir biegen also nach rechts in den *Paseo de la Ronda Nueva* ein, kommen an der maurischen *Puerta Vieja de Bisagra* (Kern aus dem 9. Jh.) [3], an einem Teil der maurischen und einem Teil der westgotischen Stadtmauer vorbei zur *Puerta del Cambrón* (um 700, aber später mehrfach restauriert) [4], fahren dann an der Innenseite der Stadtmauer entlang zum *Puente de San Martín* [5] (13./14 Jh.) und überqueren den Tajo. Am linken Flußufer steigt die Straße zunächst zur *Ermita Nuestra Señora de la Cabeza* [6] hinauf und führt dann als *Carretera de Circunvalación* hoch über dem Tajotal durch Olivenhaine (*Los Cigarrales;* zahlreiche hübsche Landhäuser be-

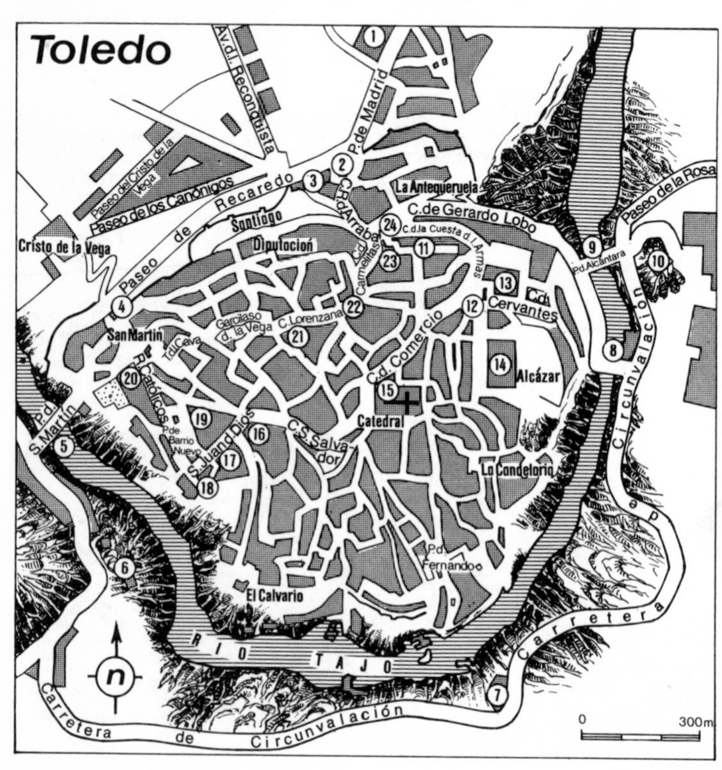

güterter Toledaner) hindurch zur *Ermita La Virgen del Valle* [7] und von dort zum *Puente Nuevo* [8], auf dem wir den Tajo überqueren müssen, da der *Puente de Alcántara* [9] für den Autoverkehr gesperrt ist. Diese Brücke (wir fahren am westlichen Brückenkopf vorbei) steht an der Stelle einer von den Römern erbauten und von den Mauren völlig erneuerten Brücke und stammt aus dem 13. und 15. Jh. Den westlichen Brückenkopf bildet die *Puerta de Alcántara*, ein Torturm aus dem Jahre 1484, den östlichen ein 1721 errichteter Barockturm. Am linken Ufer des Tajo steht hoch über der Brücke das *Castillo de San Servando* [10] (11. Jh., völlig restauriert).

Wir fahren weiter an den mittelalterlichen Stadtmauern entlang, dann zur *Puerta de Alarcones* [11], biegen hier scharf nach links in den *Paseo del Miradero* (Aussichtsterrasse) ein und erreichen schließlich die *Plaza de Zocodover* [12], den Ausgangspunkt unserer Wanderungen durch Toledo.

Von der Plaza de Zocodover, dem Mittelpunkt des städtischen Lebens und Treibens, gehen wir zunächst durch den an der Ostseite des Platzes stehenden *Arco de la Sangre*, ein restauriertes maurisches Tor, in die *Calle de Cervantes*, an der das

Hospital de Santa Cruz [13] steht. Das von dem Kardinal *de Mendoza* gestiftete und in den Jahren 1514—44 im Stil der Frührenaissance (prächtiges platereskes Portal) erbaute Hospital ist heute *Provinzialbibliothek* und *Provinzialmuseum* (geöffnet von 10—14 und 15.30—19.30 Uhr). Die Kapelle dient als *Museum der Schönen Künste* (hervorragende flämische Wandteppiche, mehrere Werke von *Greco*). In dem vom großen Innenhof aus zu erreichenden *Archäologischen Museum* sind Funde aus iberischer, westgotischer und römischer Zeit zu sehen.

Wir gehen zur Plaza de Zocodover zurück und dann in südlicher Richtung durch die *Cuesta del Alcázar* zum

Alcázar [14]. Die Ende des 11. Jh. an der Stelle eines römischen *Castrums* und am höchsten Punkt Toledos erbaute Festung erfuhr bis ins 20. Jh. hinein immer wieder Zerstörungen, Restaurationen und Erweiterungen. Nach der Belagerung von 1936 wurde das Bauwerk nur teilweise restauriert. Der Komplex, in dem die Belagerten bis zu ihrer Befreiung Widerstand geleistet hatten und der daher am schwersten zerstört worden ist, wurde in seinem alten Zustand belassen. Die Führungen durch den Alcázar werden von ehemaligen Verteidigern vorgenommen. Besichtigungszeiten: im Sommer von 9.30—19.30 Uhr, im Winter von 10—18 Uhr.

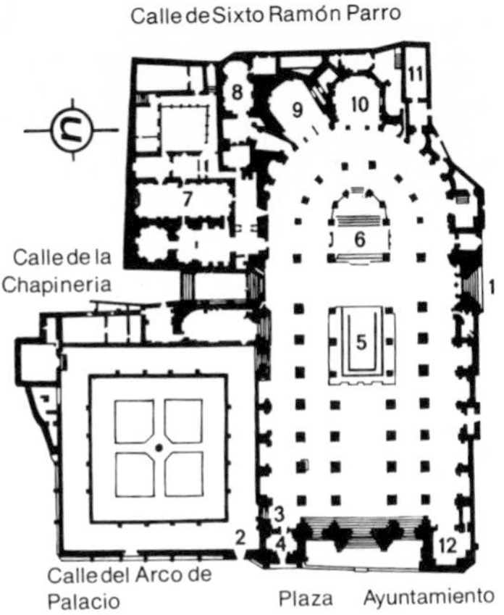

Wir gehen erneut zur Plaza de Zocodover zurück und biegen dann in die nach Südwesten führende *Calle de Comercio* ein, die einer der wichtigsten Touristenwege ist und in der sich daher zahlreiche Straßenhändler mit Toledoarbeiten aufhalten. Die Straßen *Hombre de Palo* und *Arco de Palacio* setzen diese Straße fort, und die letzte mündet in die *Plaza del Generalísimo*, die geographische Mitte Toledos. An diesem Platz stehen das *Erzbischöfliche Palais* (Nordwesten), das *Rathaus* (Südwesten) und vor allem die

Kathedrale [15]. Sie wurde von 1227 bis 1493 auf dem Platz erbaut, an dem die erste, in maurischer Zeit in eine Moschee umgewandelte Kathedrale Toledos gestanden hatte. Der Plan geht vielleicht auf einen französischen Baumeister zurück. Der Einfluß französischer Gotik ist jedenfalls unverkennbar, obwohl spätere Stilepochen wesentliche Einzelheiten zum Gesamtbild beigetragen haben. Die Fassade zeigt recht deutlich, was im Laufe der fast drei Jahrhunderte dauernden Bauzeit aus der französischen Kathedralgotik geworden ist. Hier erinnert fast nur die Portalzone noch lebhaft an französische Vorbilder. Im übrigen ist die Gliederung der Fassade ganz und

Grundriß der Kathedrale

gar unfranzösisch; die in sich geschlossene französische Doppelturmfassade ist hier völlig aufgelöst. Links von den drei gotischen Portalen erhebt sich der 90 m hohe Nordturm (1380 bis 1440), in dem die 1753 gegossene und 17 515 kg schwere *Campana gorda* hängt; rechts ragt aus dem unvollendeten Turm die 1504 erbaute und von einer barocken Kuppel gekrönte *Capilla Mozárabe* empor. An der Südseite der Kathedrale verdient besonders die *Puerta de los Leones* (1) aus der Zeit um 1460 Beachtung. An der Nordseite befindet sich zwischen den Anbauten der Kathedrale die *Puerta del Reloj* (14. Jh.), die von der über ihr angebrachten Uhr ihren Namen hat.

Durch die *Puerta de Mollete* (2), an der die *Eintrittskarten* für bestimmte Teile der Kathedrale (geschlossene Kapellen, Chor, Kapitelsäle, Sakristei und Museum) zu haben sind, betreten wir den Kreuzgang und von dort aus durch die *Puerta de la Presentación* (3) die Kathedrale. Das Innere ist 112 m lang (die Chorkapelle *San Ildefonso* nicht mitgerechnet), 56 m breit und im Mittelschiff gut 30 m hoch. Zwei Reihen von Bündelpfeilern gliedern den Raum in fünf Schiffe und einen doppelten Chorumgang. An den beiden äußeren Schiffen und dem äußeren Chorumgang liegen 22 Kapellen. 750 Fenster mit Glasmalereien (15. und 16. Jh.) erhellen den Raum. Die wesentlichen Sehenswürdigkeiten des an Kunstwerken reichen Innern sind: *Capilla de San Juan* (4) im Erdgeschoß des Nordturms; in ihr ist der Domschatz untergebracht (kostbarstes Stück: die 3 m hohe, 172 kg schwere und mit 260 Statuetten geschmückte Prozessionsmonstranz, die 1517—24 von *Enrique de Arfe* geschaffen wurde und den Mittelpunkt der berühmten Toledaner Fronleichnamsprozession bildet).

Coro (5); Chorgitter (1547) von *Domingo de Céspedes*; Chorgestühl (die untere Reihe mit Darstellungen von Szenen aus dem Krieg gegen Granada ist ein gotisches Werk von *Rodrigo Alemán*, 1495; die obere im Stil der Renaissance gehaltene wurde bis 1543 von *Felipe de Biguerny* und *Alonso de Berruguete* geschaffen); drei große Notenpulte (das mittlere stammt aus Deutschland, 1425; die beiden anderen sind Arbeiten von *Vergara*, 1570); auf dem Altar die *Virgen Blanca* (Ende 13. Jh.).

Capilla Mayor (6): platereskes Gitter (1539—48) von *Francisco de Villalpando;* spätgotische, bis ins Gewölbe

Virgen Blanca

hinaufreichende Altarwand (1504 vollendet) mit Szenen aus dem Neuen Testament und einer großen Monstranz; beiderseits des Altars Grabmäler von Königen und Prinzen des 12. und 13. Jh., außerdem links das Grabmal des Kardinals *Pedro González de Mendoza* (1428—95); an der Rückseite der Kapelle der sogenannte *Transparente*, ein churrigueristischer Altar von *Narciso Tomé* (frühes 18. Jh.).

Sakristei (7): Gemälde von *Goya* und *Greco*, besonders das Altarbild „Entkleidung Christi“ von Greco.

Capilla de Reyes Nuevos (8); erbaut 1531 bis 34; reiche platereske Ausstattung.

Capilla de Santiago (9): Kleinod der Spätgotik; in der Mitte die von *Pablo Ortiz* 1489 geschaffenen Grabmäler *Don Álvaros de Luna* (um 1390—1453) und seiner Frau.

Capilla de San Ildefonso (10): in der Mitte das Grabmal des aus *Cuenca* stammenden und in *Viterbo* (Italien) gestorbenen Kardinals *Gil Álvarez Carrillo de Albornoz* (gestorben 1367).

Sala Capitular (11): Anfang des 16. Jh. erbaut; getäfelte Decke im Mudéjarstil (1508; sogenannte Artesonadodecke); Wandfresken (1511) von *Johann von Burgund* und Bildnisse der Toledaner Erzbischöfe, zum großen Teil ebenfalls von Johann von Burgund.

Capilla Mozárabe (12): in dieser Kapelle findet täglich kurz nach 9 Uhr ein Gottesdienst im mozarabischen Ritus statt, das heißt in der Form, in der die Christen (Westgoten) nach der Eroberung der Stadt durch die Mauren als von den Mauren Geduldete und unter den Arabern Lebende (Mozaraber) ihre Gottesdienste abzuhalten pflegten; die Kapelle wurde von *Enrique de Egas* für den Kardinal *Ximénez* erbaut.

Von der Plaza del Generalísimo aus gehen wir am Rathaus vorbei zur *Calle San Salvador* (Kirche *San Salvador* mit westgotischen Säulen) und weiter durch die *Calle de Santo Tomé* zur Kirche

Santo Tomé [16]. Die Kirche, die ihre heutige Form im 14. Jh. erhalten hat (der Turm ist ein schönes Beispiel des Mudéjarstils), ist berühmt durch *Grecos* Gemälde „Das Begräbnis des Grafen Orgaz", das nicht nur das Meisterwerk Grecos ist, sondern auch als eines der besten Werke europäischer Malerei gilt. In dem 1586 geschaffenen Bild stellt Greco die Legende dar, nach der die Heiligen *Augustinus* und *Stephanus* selbst den 1323 verstorbenen Grafen Orgaz ins Grab gelegt haben sollen.

Durch die *Calle de San Juan de Dios* kommen wir zum *Greco-Haus* und *Greco-Museum* [17]. In dem Museum (*geöffnet von 10—14 und 15.30—19 Uhr*) sind 20 Gemälde von Greco zu sehen, darunter eine großartige Ansicht von Toledo. Die Eintrittskarten für Haus und Museum gelten zugleich für die etwas weiter südwestlich gelegene *Sinagoga del Tránsito* [18], die Mitte des 14. Jh. erbaut wurde und sich besonders durch ihre Innenausstattung (Decke aus Lärchenholz mit Elfenbeineinlagen; prächtige Stuckarbeiten) als ein Meisterwerk des Mudéjarstils erweist.

Wir gehen quer durch das ehemalige Judenviertel über die *Plaza de la Judería* (auch *Plaza del Barrio Nuevo* genannt) und kommen zur ehemaligen Kirche *Santa María la Blanca* [19], die im 12. Jh. erbaut wurde und die erste Synagoge Toledos war (Umwandlung in eine christliche Kirche 1405). Das Innere (geöffnet von 10—13 und 15 bis 19 Uhr) weist besonders mit den Pfeilerkapitellen auf die andalusische Kunst der Almohadenzeit hin.

Die *Calle de los Reyes Católicos* führt zur Kirche

San Juan de los Reyes [20]. Die Kirche, mit deren Bau 1476 begonnen wurde, sollte ursprünglich die Begräbnisstätte der *Katholischen Könige* und ihrer Nachfahren werden. Nach der Eroberung Granadas ließen die Katholischen Könige diese Absicht fallen. Infolgedessen gingen die Bauarbeiten nur noch schleppend weiter; sie wurden erst zu Beginn des 17. Jh. beendet. Das Innere der Kirche, vor allem des Kreuzgangs (geöffnet von 10—13 und 15 bis 19 Uhr), beeindruckt durch die reiche

Santa Maria la Blanca

und äußerst vielgestaltige Ornamentik im Stil der Spätgotik, durchdrungen von vielen Elementen des Mudéjarstils. Der Kreuzgang zählt zu den hervorragendsten Baudenkmälern der spanischen Spätgotik. An den Außenwänden des Chors hängen Ketten von Christen, die in maurischer Gefangenschaft waren.

Wir schlagen nun folgenden Weg durch den Nordwesten der Stadt ein: *Calle Baja de la Virgen de Gracia—Cuesta del Colegio de Doncellas*—hier am Kolleg nach links zur *Calle de Garcilaso de la Vega—Plaza de Padilla—Calle de Esteban Illán*. An dieser Straße steht die um 1400 erbaute *Casa de Mesa* [21], deren Saal ein eindrucksvolles Beispiel hispano-maurischer Kunst ist.

Wir gehen weiter zum *Museo de San Vicente* [22], dem Museum für religiöse Kunst, dann durch die Straße *de Carmelitas* zur Kirche *Santo Cristo de la Luz* [23], einer ehemaligen Moschee (Ende 10. Jh.) und zur *Puerta del Sol* [24], einem im Mudéjarstil gehaltenen mächtigen Stadttor aus dem frühen 14. Jh.

Außerhalb der Stadt und am besten von der Puerta del Sol aus zu erreichen, liegt die *Fábrica Nacional de Armas Blancas* (Fabrik für die berühmten Toledoklingen; Besichtigung ist möglich).

PRAKTISCHE HINWEISE

🚂, 🚌 Madrid.

🏨 „Parador Nacional Conde de Orgaz" (2,5 km außerhalb).

🏨 „Monte-Rey"; 🏨 „Maravilla", „Imperio", „Miraltajo".

© „El Greco" und „Camping Toledo".

Information: Puerta de Bisagra.

Route 1: Burgos – Madrid

Fahren wir von Irún aus nach Madrid, so erreichen wir Zentralspanien (bzw. die Region *Castilla la Vieja* bei

Miranda de Ebro, 169 km. Von dieser Handelsstadt (22 000 Einw.) aus führt die N. I über *Ameyugo* (© „Monumento al Pastor“ am Schäferdenkmal), dann durch die Pancorbo-Schlucht und weiter durch das zwischen zwei Felsen (Burgruinen) gelegene Dorf *Pancorbo* nach *Briviesca*, 206 km.

Wir fahren weiter über *Castil de Peones* hinauf zum *Puerto de la Brújula* (981 m), der in den *Montes de Oca*, der Wasserscheide zwischen *Ebro* und *Duero*, liegt. In der Kirche des Städtchens *Quintanapalla* wurde 1682 die Ehe zwischen König *Karl II.* und *Maria Luise von Bourbon* aus dem Haus *Orléans* geschlossen. — Nach Passieren des 🏨 „Hostal El Cid“ erreichen wir Burgos, 248 km.

BURGOS

Burgos (90 000 Einw.), die Hauptstadt der gleichnamigen Provinz und Sitz des Erzbischofs der Erzdiözese Burgos, liegt in 856 m Höhe beiderseits des *Arlanzón* und am Fuß des bis 931 m ansteigenden *Cerro de San Miguel* (Burgberg). Die Stadt wurde 882 oder 884 am Nordufer des Arlanzón gegründet und gehörte zunächst zum Königreich *León*. Im 10. Jh. wurde sie die Hauptstadt der selbständigen Grafschaft Kastilien, im 11. Jh. vorläufig und im 13. Jh. endgültig die Hauptstadt der vereinigten Königreiche León und Kastilien, zu denen auch die den Mauren entrissenen Gebiete im Süden der Meseta (Neukastilien) gehörten. In dieser Zeit des Aufstiegs wurde in Burgos der spanische Nationalheld *Rodrigo Diaz de Vivar* (1026—99) geboren, der vor allem unter den Beinamen *El Campeador* und *El Cid* bekannt ist. Um 1500 verlor Burgos seine Stellung als Landeshauptstadt, blieb aber noch dank seinen Handelsprivilegien eine wirtschaftlich bedeutende Stadt. Während des Spanischen Unabhängigkeitskriegs wurden die Spanier bei Burgos 1808 besiegt; 1812 belagerte *Wellington* die Stadt; 1813 konnte er sie besetzen. Im Bürgerkrieg war Burgos bis zur Eroberung Madrids die Hauptstadt der Nationalisten.

Wir fahren auf der *Calle de Victoria* ins Stadtzentrum zum *Paseo del Espolón*, der zum *Arco de Santa María*, einem im 16. Jh. zu Ehren Kaiser *Karls V.* errichteten Stadttor, führt. Hinter ihm liegt die *Plaza del Rey San Fernando*, an die sich die *Plaza de Santa María* anschließt. Über beide Plätze erhebt sich die

Kathedrale. Das gotische Gotteshaus wurde von 1221—30 erbaut (Ausbauten noch bis in das 16. Jh. hinein). Die französische Kathedralgotik war das große Vorbild. Die Zweiturmfassade, die in der Portalzone fast ganz ihres Skulpturenschmucks beraubt worden ist, weist eine prächtige Fensterrose und eine Königsgalerie auf. Die beiden 84 m hohen Türme mit durchbrochenen Helmen wurden im 15. Jh. von *Hans von Köln* aufgeführt. Über der Vierung erhebt sich ein mächtiges Oktogon (Mitte 16. Jh.). Von den Portalen verdienen besondere Beachtung die platereske *Puerta de la Pellejería* (1), die 1516 von *Franz von Köln* geschaffen wurde, und die *Puerta del Sarmental* (2) aus dem frühen 13. Jh.

Das Innere, das wir durch das Hauptportal an der Plaza de Santa María betreten, ist ein dreischiffiger Raum, an den ein wenig planlos zahlreiche Kapellen angebaut sind. Die Vierung ist durch vier wuchtige Pfeiler betont, die das schon erwähnte Oktogon tragen. Wichtigste Sehenswürdigkeiten sind:

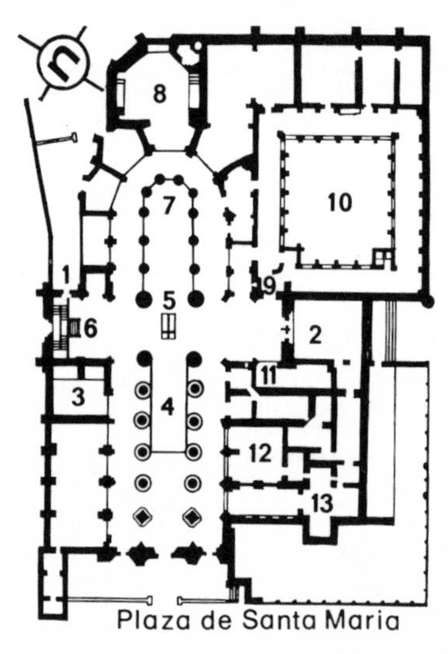

Capilla de Santa Ana (3): spätgotisches Grabmal des Archidiakons *Diaz*; spätgotischer Altar mit dem Stammbaum Christi.

Coro (4): in *Limoges* (Frankreich) geschaffenes Grabmal des Bischofs *Mauricio* (gestorben 1238), des Gründers der Kathedrale.

Vierung (5): Grab des *Cid* und seiner Gattin, darüber das schmuckreiche Oktogon.

Linkes Querschiff (6): die zur *Puerta de la Coronería* (*Puerta Alta*) hinaufführende *Escalera Dorada* (Goldene Treppe), 1519 von *Diego de Siloé* angelegt.

Capilla Mayor (7): großartiger Renaissance-Hochaltar (1562—80).

Capilla del Condestable (8): 1482 bis 1494 in platereskem Stil von *Simon von Köln* erbaut; Grabmäler des Condestable *Hernández de Velasco* und seiner Frau; auf linkem Seitenaltar Holzstatue des hl. *Hieronymus*; rechts ein beachtenswertes Triptychon.

Puerta del Claustro (9): reicher Skulpturenschmuck aus dem 14. und 15. Jh.

Claustro (10): gotischer Kreuzgang aus dem 13. Jh.; Gräber und Statuen; im Obergeschoß *Diözesanmuseum*.

Capilla de la Visitación (11): Alabastergrabmal des Bischofs *Alfonso de Cartagena*, angeblich, wie die ganze Kapelle, von *Hans von Köln* und Meistern aus seiner Familie.

Capilla de la Presentación (12): Grabmal des Kanonikers *Gonzalo de Lerma* (16. Jh.); auf dem Altar eine *Madonna* (1520) von *Sebastiano del Piombo*.

Capilla del Santísimo Cristo (13): Kruzifix unbekannter Herkunft und unsicheren Alters, der sogenannte *Cristo de Burgos;* der Corpus ist aus Tierhaut; Kopfhaare und Brauen sind Menschenhaare.

Die Kathedrale kann von 9—13 und 15—19 Uhr besichtigt werden (im Winter 9—13 und 15—17 Uhr).

An der Nordseite der Plaza de Santa María steht die Kirche *San Nicolás*

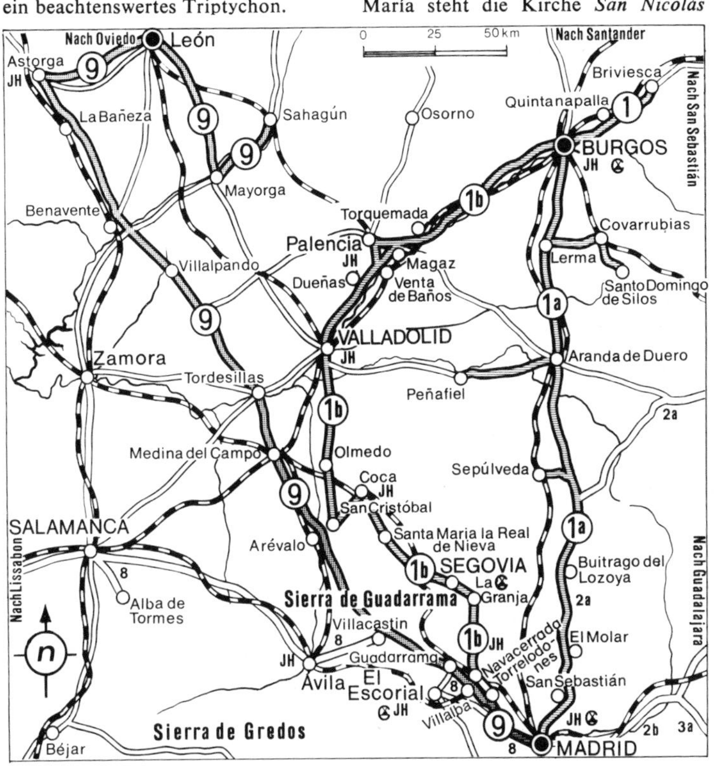

(frühes 15. Jh.) mit einem Alabasteraltar (1505) von *Franz von Köln*, etwa 200 m nordöstlich von San Nicolás die Kirche *San Esteban* (1280—1350), ein gotisches Bauwerk mit beachtenswerter Innenausstattung. Von hier aus kann man durch die *Calle del Arco de San Esteban* (von Türmen flankiertes Tor arabischen Stils aus dem 13. Jh.) zur *Burgruine* hinaufgehen. Unterhalb der Südwestecke des Burggeländes stehen auf dem *Solar del Cid*, auf dem das Haus des Cid gestanden hat, zwei Obelisken und eine Gedenkstele.

Von der Kirche San Esteban aus führt die *Calle de Fernán González* in östlicher Richtung zur Kirche *San Gil* (14. Jh.), in der sich einige beachtenswerte Grabmäler und Altaraufsätze befinden. Von hier aus gehen wir durch die Straßen *de San Juan* und *de Santander* zur *Plaza de Calvo Sotelo*, an der die *Casa del Cordón* (15. Jh.) steht; der Palast war vom 15.—18. Jh. mehrere Male königliche Residenz.

Von der Plaza Calvo Sotelo aus gehen wir an der *Diputación Provincial* und an dem uns schon bekannten Theater vorbei zum *Puente de San Pablo*, der die beiden Arme des Arlanzón überspannt. Jenseits des Flusses, im Viertel *Vega*, biegen wir von der *Calle de San Pablo* nach rechts in die *Calle de la Calera* ein. Dort steht die

Casa de Miranda (1545), ein großartiges Adelshaus, das heute als Museum (geöffnet von 9—14 Uhr) dient. Die Sammlungen umfassen Funde aus vorgeschichtlicher, römischer und westgotischer Zeit, Grabmäler aus dem 15. und 16. Jh. und Gemälde und Skulpturen aus dem 13.—18. Jh.

Lohnende Ausflugsziele sind: das *Monasterio de las Huelgas* (fast 2 km südwestlich der Stadt), 1175 als königliches Lustschloß erbaut, wenige Jahre später in ein Zisterzienserinnenstift umgewandelt (romanischer Kreuzgang, gotische Kirche); — das *Hospital del Rey* (knapp 1 km nordwestlich des vorgenannten Klosters), eine etwa zur gleichen Zeit gegründete Pilgerherberge (gedacht für die nach *Santiago de Compostela* ziehenden und von dort kommenden Pilger); — die *Cartuja de Miraflores* (gut 3 km östlich von Burgos), ein im 15. Jh. von *Hans* und *Simon von Köln* erbautes Kartäuserkloster, dessen Kirche einige hervorragende Kunstwerke birgt (Grabmal König *Johanns II.* und seiner Gattin und Hochaltar, beide von *Gil de Siloé*

Sepúlveda: Kirche und Palast

zwischen 1486 und 1500 geschaffen; das ebenfalls von Siloé gearbeitete Grabmal des Infanten *Alfonso*.

🚉 Irún, Madrid, Soria.

🚌 Madrid, San Sebastián, Santander und engere Umgebung.

🏨 „Landa Palace" (Luxus), 3 km außerhalb, an der Straße nach Madrid; „Almirante Bonifaz", Vitoria 22—24; „Condestable", Vitoria 8.

🏨 „El Cid", „Asubio"; 🏠 „España", „La Varga", „Suco".

△ Calle General Vigón.

© „Fuentes Blancas" (4 km nordöstlich der Stadt).

Information: Paseo del Espolón 3.

Von Burgos aus gibt es zwei Wege nach Madrid: den direkten Weg (Route 1a) und den empfehlenswerten Weg über *Valladolid* und *Segovia* (Route 1b).

1a: BURGOS—MADRID (direkt)

Wir verlassen Burgos auf der N. I in südlicher Richtung und durchqueren zunächst den altkastilischen Teil der Meseta. Den ersten Halt machen wir in dem Städtchen

Lerma (2500 Einw.), 285 km. Sehenswert sind das *Schloß* der *Herzöge von Lerma* und die ehemalige *Kollegiatkirche* (beide aus dem 17. Jh.). Es lohnt sich, von hier aus einen Abstecher (knapp 50 km je Weg) nach *Covarrubias* (in der Kollegiatkirche die Sarkophage des Seite 8 erwähnten *Fernán González* und seiner Frau) und zum Kloster *Santo Domingo de Silos* zu machen (romanischer Kreuzgang aus dem 11./12. Jh.; Kirche aus dem 18. Jh.; im Kirchenschatz unter anderem ein Silberkelch aus dem 11. Jh.; die Benediktiner von Santo Domingo gehören zu der *Kongregation von Solesmes*, Frankreich, sie pflegen den gregorianischen Kirchengesang).

Wir fahren weiter nach dem am *Duero* in einer *Vega* (Gemüse- und Weinbau) gelegenen *Aranda de Duero* (14 000 Einw.), 328 km. Die Fassade der Kirche *Santa María* gilt als ein Werk (um 1500) des *Simon von Köln.* ,,Hostería de Castilla"; © Costajan. — Ein Abstecher (35 km je Weg) führt nach dem Weinort *Peñafiel*, dessen *Burg* (11. und 14. Jh.) eine der schönsten Burgen Spaniens ist.

18 km südlich von Aranda de Duero überschreiten wir die Grenze zwischen den Provinzen Burgos und Segovia und nach weiteren 31 km erreichen wir eine Straßenkreuzung, von der aus wir zwei Abstecher machen können. 14 km westlich liegt das Bergstädtchen *Sepúlveda* mit drei romanischen Kirchen, Stadtmauern und Toren auf römischen Fundamenten. 11 km östlich der Straßenkreuzung liegt in 1200 m Höhe die kleine Sommerfrische *Riaza.*
,,Hostal La Trucha".

Die Straße steigt langsam hinauf in die Sierra de Guadarrama. Von dem *Puerto de Somosierra* (1454 m) aus senkt sich die Straße dem Städtchen

Buitrago del Lozoya, 415 km, entgegen. Der am Ufer des *Lozoya-Stausees* gelegene und von turmbewehrten Mauern umgebene Ort besitzt eine Burg (14. und 15. Jh.) im Mudéjarstil und eine gotische Kirche mit einem Mudéjarturm. — Von hier aus erreichen wir über *El Molar* (Thermalbad) und *San Sebastián de los Reyes.*

Madrid, 488 km.

1b: BURGOS—VALLADOLID—MADRID

Wir verlassen Burgos auf der Straße 620 in westlicher Richtung (links bleiben das *Monasterio de las Huelgas* und das *Hospital del Rey*, siehe S. 44, liegen) und fahren durch eine etwas eintönige Landschaft über *Torquemada* (alte 25bogige Brücke über den *Pisuerga*) nach *Magaz*, 324 km, wo wir die Straße 620 verlassen, um einen Umweg über die 10 km westlich gelegene Provinzhauptstadt und Bischofsstadt

Palencia (etwa 50 000 Einw.), 334 km, zu machen. Die auf der Hochebene *Tierra de Campos* (einem Teil der Meseta) am linken Ufer des *Carrión* gelegene Stadt erlebte ihre Blütezeit im 12. und 13. Jh. (1208 Gründung der ersten spanischen Universität, die aber rund 30 Jahre später nach *Salamanca* verlegt wurde). Im 14. Jh. wurde mit dem Bau der *Kathedrale*, der einzigen großen Sehenswürdigkeit der Stadt, begonnen. Das spätgotische Gotteshaus wurde zu Beginn des 16. Jh. vollendet und besitzt einige beachtenswerte Kunstwerke: in der *Capilla Mayor* den von *Juan de Flandes* und anderen Künstlern geschaffenen Hochaltar (1505—30); in der Sakristei eine silberne Monstranz (16. Jh.); in der *Sala Capitular* flämische Wandteppiche (15. und 16. Jh.). Vor dem *Trascoro* führt eine plятереske Treppe in die *Krypta* (westgot. Ursprungs).

An den Strecken Madrid—Santander und Madrid—La Coruña.

Burgos, León, Valladolid.

,,Jorge Manrique", Burgos 10.

,,Roma", ,,Gran Vía".

△ Campo de la Juventud (nur Jungen).

An *Villamuriel de Cerrato* (Wehrkirche der Tempelritter aus dem 13. Jh.) vorbei fahren wir zur Straße 620 zurück, die wir in der Nähe von *Venta de Baños* (661 erbaute westgotische Basilika *San Juan Bautista*) erreichen. Die Straße führt dann durch das Tal des *Pisuerga* und unmittelbar am *Canal de Castilla* (Mitte 18. Jh.) entlang über *Dueñas* (Pfarrkirche aus dem 13. Jh.) nach der größten Stadt der Nordmeseta:

Valladolid (173 000 Einw.), 371 km. Die Hauptstadt der gleichnamigen Provinz ist Bischofs-, Universitäts- und an Bedeutung ständig zunehmende Industriestadt. Gegen Ende des 11. Jh. soll Valladolid Sitz eines maurischen Statthalters gewesen sein; im 13. Jh. wurde sie kastilischer Regierungssitz und bevorzugte Residenzstadt der kastilischen Könige. 1469 fand hier die Hochzeit von *Isabella von Kastilien* und *Ferdinand von Aragonien* statt. 1561 mußte Valladolid vorübergehend und 1621 endgültig auf seine hauptstädtischen Funktionen verzichten.

Von der *Plaza Mayor*, dem Hauptplatz der Stadt, aus gehen wir in östlicher Richtung zur *Plaza de Fuente Dorada* (nach Süden geht von hier die *Calle de Teresa Gil* aus; nahebei steht die Kirche *del Salvador* mit einem Altar des Flamen *Quinten Massys*) und dann durch die Straßen *Cánovas del Castillo* und *Cascajares* zur *Kathedrale*, einem von *Herrera*, dem Baumeister des *Escorial*, als Kolossalbau geplanten, aber nie vollendeten Gotteshaus; im Innern sind der Hochaltar (1561) von *Juan de Juni* und die 2 m hohe *Custodia* (1590) des *Juan de Arfe* beachtenswert.

Etwas nördlich der Kathedrale steht die Kirche *Nuestra Señora de las Angustias* (um 1600), in der sich die von *Juan de Juni* 1560 geschnitzte *Virgen de los siete Cuchillos* befindet.

Durch die Calle de las Angustias gehen wir zur *Plaza de San Pablo*. Die Kirche *San Pablo* (13. Jh.) besitzt eine verwirrend reich geschmückte spätgotische Fassade, die um 1490 von *Simon von Köln* gebaut wurde. Nördlich von San Pablo steht das *Colegio de San Gregorio* (1488—96) mit seiner überladenen Fassade und seinem stimmungsvollen Innenhof, von dem aus man in das *Museo Nacional de Escultura* (geöffnet von 10—13 und 16.30—19 Uhr) hinaufgeht. Dort sind in erster Linie bemalte Holzplastiken der spanischen Bildhauer *Alonso Berruguete* (um 1482 bis 1561), *Juan de Juni* (16. Jh.) und *Gregorio Fernández* (1566—1636) zu sehen.

Durch die Straßen *Cadenas de San Gregorio—de Padilla—Ramón y Cajal* kommen wir zur Medizinischen Fakultät der Universität und zur Kirche *de la Magdalena*, an der die *Calle de Cristóbal Colón* beginnt. Auf dieser Straße erreichen wir das ehemalige *Colegio Mayor de Santa Cruz* (1487 bis 1491), in dem sich außer der Philosophischen Fakultät vor allem das *Museo Arqueológico* mit iberischen, römischen und westgotischen Sammlungen befindet. An den modernen Universitätsgebäuden (nur die Barockfassade ist alt; frühes 18. Jh.) vorbei und über die *Plaza de la Universidad* kommen wir zur Kathedrale zurück.

an den Strecken Irún—Madrid und Madrid—Gijon/La Coruña.

Umgebung, León und Madrid.

„Conde Ansúrez" (Luxus), María de Molina 9; „Olid Melía", San Miguel 10.

„Inglaterra", Maria Molina 2.

„Imperial", Peso 6. – △ Cementerio 2.

Information: Plaza de Zorrilla 3.

Burg Coca

Wir verlassen Valladolid auf der Straße 403, fahren durch das mauerumgebene Städtchen *Olmedo* und biegen bei *San Cristóbal de la Vega* nach links ein in Richtung

Coca (2000 Einw.), 444 km. Hier steht die gut restaurierte Burg Coca (um 1400), eine der eindrucksvollsten Burgen (Mudéjarstil) Spaniens.

Über *Nava de la Asunción* und *Santa María la Real de Nieva* erreichen wir

SEGOVIA

Segovia (34 000 Einw.), 497 km. Die auf einem rund 100 m hohen Felssporn zwischen *Eresma* und *Clamores* in rund 1000 m Höhe und in geringer Entfernung von der Sierra de Guadarrama gelegene Stadt gehört zu den sehenswertesten Städten Spaniens.

Die Stadt hat in keltiberischer und in römischer Zeit eine wichtige Rolle gespielt und gehörte später zu den Bischofssitzen des westgotischen Reiches. Zur Zeit der Mauren scheint die Stadt unbewohnt gewesen zu sein (ein ziemlich breiter Grenzstreifen südlich des Duero war zwischen Mauren und Christen strittig und lud daher wenig zur Besiedlung ein). Nach der wahrscheinlich um 1100 erfolgten Wiederbevölkerung entwickelte sich Segovia schnell. Die Stadt wurde Residenz und sah im 14. und 15. Jh. mehrere Male die kastilischen Cortes in ihren Mauern. Ende des 16. Jh. setzte die Pest der Blütezeit Segovias ein Ende.

Alle Zufahrtstraßen treffen sich an der *Plaza del Azoguejo*, dem Mittelpunkt städtischen Lebens und Treibens (Markt). Der Platz liegt unterhalb des Felssporns, auf dem die Altstadt steht. Diesem Umstand verdankt Segovia die Errichtung eines Bauwerks, das in Spanien nicht seinesgleichen hat. Der

Acueducto Romano (Römischer Aquädukt), der von den Römern wahrscheinlich um das Jahr 100 n. Chr. als Wasserleitung für die auf dem Sporn gelegene Stadt erbaut wurde, spannt sich in zwei mächtigen, übereinander angeordneten Arkadenreihen über die Plaza del Azoguejo und erreicht in der Mitte eine Höhe von fast 29 m. Der im Osten außerhalb der Stadt beginnende und am Alcázar endende Aquädukt ist gut 800 m lang und zählt insgesamt 119 Bögen. Auf einer Strecke von 276 m ist der Aquädukt zweistöckig angelegt. Auch für die höchsten Teile des

Segovia: Aquädukt

Bauwerks (an der Plaza del Azoguejo) ist kein Mörtel oder ein sonstiges Bindemittel verwandt worden. Das Baumaterial ist Granit aus der Sierra de Guadarrama. Von den Cafés an der Plaza del Azoguejo, besonders aber von dem ausgezeichneten Restaurant *Mesón de Cándido* (*Plaza del Azoguejo 6*) aus hat man einen prächtigen Blick auf den Aquädukt und auf das Leben und Treiben zu seinen Füßen. Wer nur das Wichtigste zu sehen wünscht, kann hier bereits die Besichtigung beenden.

Im übrigen kann Segovia — ähnlich wie Toledo — auf einer Fahrt um die Stadt herum und auf Wegen durch die winkligen Gassen besichtigt werden. In beiden Fällen begibt man sich von der Plaza del Azoguejo aus zunächst in die nach Südwesten abzweigende *Avenida Fernández Ladrera*, an der die romanische Kirche *San Millán* (frühes 12. Jh.) steht. An dem etwas weiter südwestlich gelegenen *Paseo Nuevo* kann die Rundfahrt beginnen.

Man fährt durch Pinienbestände auf der *Carretera de los Hoyos* (rechts das tiefe Tal des *Clamores* und darüber die mauerumgebene Stadt; links, auf Fußpfaden schnell zu erreichen, der *Cerro de la Piedad*, ein Kalvarienberg, von dem aus man den schönsten Blick auf Segovia hat) bis zur Spitze des Felssporns, die vom Alcázar gekrönt wird. Dann überqueren wir den Eresma und kommen hier zunächst nach dem kleinen Heiligtum *de Nuestra Señora de la Fuencisla*, der Schutzheiligen Segovias. Ganz in der Nähe befinden sich der *Convento de Carmelitas Descalzos* mit dem prunkvollen Grabmal des hl. *Johannes vom Kreuz* (1542—91), der das Kloster 1586 gründete, und hoch über dem Vorort *San Marcos* und gegenüber dem Alcázar die Kirche *de la Vera Cruz*, eine romanische Rundkirche aus dem frühen 13. Jh., die der Grabeskirche in Jerusalem nachgebildet ist.

Die Straße *del Marques de Villena* führt uns zum Hieronymitenkloster *El Parral* (15. Jh.), in dessen Kirche vor allem die Grabmäler der Familie *de Villena* Beachtung verdienen.

Wir fahren am Ufer des Eresma weiter, überqueren den Fluß bei der Kirche *S. Ana*, fahren am Kloster *de Santa Cruz* vorbei und kommen über die Straßen *Santa Lucia* und *San Juan* wieder zum Aquädukt, von dem aus wir nun auf der *Calle de Cervantes* ins Stadtinnere gehen.

Die Calle de Cervantes ist ein Teil der *Calle Real* (die Segovianer benutzen noch heute diesen Namen), der Hauptgeschäfts- und Flanierstraße der Stadt. Am Ende der Calle de Cervantes steht die im 14. Jh. erbaute *Casa de los Picos*, die ihren Namen der im 16. Jh. vorgesetzten Fassade mit bossierten Quadern (Diamantquadern) verdankt. An der linken Seite der *Calle Juan Bravo*, die die Calle de Cervantes fortsetzt, liegt etwas abseits der gotische *Palacio del Conde de Alpuente* mit seinen an Maßwerk reichen Zwillingsfenstern und seiner mit Sgraffiti geschmückten Fassade. Die Calle Juan Bravo endet an der ganz in sich geschlossenen

Plaza de San Martín. Dieser Platz wird von den Segovianern meist *Plaza de las Sirenas* genannt, und zwar wegen der beiden ein wenig eigenartigen modernen Sphinxen, die an der Freitreppe vor dem Denkmal *Juan Bravos*, eines Führers der Comuneros (siehe S. 37), stehen und die das Volk für die *Sirenen* des *Odysseus* hielt. Der Platz ist von alten Palästen umgeben, von denen die *Casa de Lozoya* mit ihrem Turm und dem hübschen plateresken Innenhof der sehenswerteste ist. Das bedeutendste Bauwerk ist jedoch die Kirche *San Martín*, ein romanischer Bau aus dem 12. Jh., der auf zwei Seiten von einem Atrium (beachtenswerte Säulenkapitelle) umgeben ist (das Atrium ist überhaupt ein charakteristischer Bauteil vieler Kirchen Segovias). Im Innern befinden sich beachtenswerte Grabmäler, Gemälde und Skulpturen.

Wir folgen der *Calle Isabel la Católica* (oder der Calle Real) zur *Plaza Mayor* (offiziell *Plaza del Generalísimo Franco*), dem Mittelpunkt der Altstadt. Hier stehen das *Rathaus* (17. Jh.), die gotische Kirche *San Miguel* (16. Jh.; über dem Portal ein aus dem 12. Jh. stammendes romanisches Relief des heiligen *Michael*) und die

Kathedrale. Obwohl das Gotteshaus erst im 16. Jh. errichtet wurde, ist es im wesentlichen ein typisch spätgotischer Bau (um diese Zeit herrschte im übrigen Spanien bereits unumstritten die Renaissance oder gar schon der Barock). Die zur *Plaza de la Catedral* hin gelegene schlichte Fassade erhält ihren Akzent durch den fast 110 m hohen und in einer Kuppel endenden Glockenturm. An der Außenseite des Chors finden wir die Strebepfeiler und -bögen und die Fialen, die uns von der deutschen Gotik her vertraut sind. Wir betreten die Kathedrale durch das Nordportal, die *Puerta de San Frutos*. In dem weiträumigen Innern ziehen besonders die Glasmalereien (16. und 17. Jh.) der Fenster, die Sterngewölbe und die barocken Gitter die Aufmerksamkeit auf sich. Außerdem verdienen Beachtung: das Chorgestühl aus dem 15. Jh. (es stammt wie viele andere Kunstwerke aus der 1520 zerstörten Kathedrale); in der *Capilla de la Piedad* (fünfte Kapelle links) die „Beweinung Christi" (1571) von *Juan de Juni*; der an diese Kapelle sich anschließende Kreuzgang mit seinen vielen Gräbern, der *Sala Capitular* und dem *Diözesanmuseum* (Kirchengeräte, Gemälde, Statuen und Handschriften).

Zwischen der Kathedrale und der Stadtmauer (*Puerta de San Andrés*) liegt das frühere Judenviertel.

Wir gehen durch die *Calle del Marqués del Arco* zur romanischen Kirche *San Andrés* (12. Jh.) und von dort durch die *Calle de Velarde* (auch *Canonjia Nueva* genannt) zum

Alcázar. Die 80 m über dem Zusammenfluß von Eresma und Clamores gelegene ehemalige königliche Burg wurde Ende des 11. Jh. erbaut, später mehrfach erweitert und verschönert und brannte 1862 zum größten Teil nieder. Beim Wiederaufbau waren romantische Vorstellungen, wie man sie eigentlich nur in nördlicheren Gebieten Europas erwarten möchte, bestimmend.

Vom Alcázar gehen wir durch die *Calle de Daoiz* zur Kirche *S. Esteban* (13. Jh.), dann durch die *Calle de la Victoria* zur *Plaza de la Trinidad* (*Torre de Hércules* aus der Zeit um 1200; Kirche *de la Trinidad*) und zur *Plaza de los Huertos* (an der Westseite der burgfriedartige Turm der *Casa de Arias Dávila*). Über die an die Plaza de los Huertos sich anschließende *Plaza de San Facundo* erreichen wir die *Calle de San Agustín* (im *Palacio de Almenara* befindet sich das kleine Provinzialmuseum) und die *Plaza del Conde de Cheste*. Von hier aus sind es nur wenige Schritte bis zur ehemaligen Kirche *San Juan de los Caballeros* (im Innern zahlreiche Grabmäler aus dem 16. und 17. Jh. und das *Museo Daniel Zuloaga*, in dem Werke von *Daniel* und seinem Neffen *Ignacio Zuloaga* zu sehen sind).

Segovia: Alcázar

Von der Plaza del Conde de Cheste gehen wir zur Plaza del Azoguejo zurück.

🚉 An den Strecken Madrid—La Coruña und Madrid—Gijon/Santander.

🚌 Madrid, Valladolid, Ávila.

🏨 „Gran Hotel Las Sirenas", Juan Bravo 30.

🏨 „Comercio Europeo", Melitón Martín 3; „Victoria"; „Casas".

© Piscina Florida.

Information: Plaza Gen. Franco 8.

Wir verlassen Segovia auf der Straße 601 (Richtung Madrid) und erreichen nach 11 km das fast 1200 m hoch gelegene

La Granja, 508 km. Der Ort verdankt seine Entstehung einem klösterlichen Meierhof (um 1450), an dessen Stelle 1721—39 das königliche *Schloß* angelegt wurde. (Sommerfrische!)

🏨 „Europeo", Plaza de España 9.

Über die Sierra de Guadarrama und Navacerrada (von diesen beiden Punkten aus können wir auf der Seite 34 geschilderten Rundfahrtstrecke nach El Escorial oder El Pardo kommen) fahren wir nach Villalba und

Madrid, 578 km.

Route 2: Soria – Madrid

Routenkarte siehe Seite 55

Man kann von *Le Perthus/La Junquera* über *Barcelona*, *Zaragoza* und *Calatayud* nach *Soria*, 640 km, fahren. Die zweite Strecke führt von *Irún* über *Pamplona*, *Tafalla*, *Tudela* und *Agreda* (dieses schon zur Provinz Soria gehörende Städtchen besitzt einige sehenswerte Kirchen) nach der Provinzhauptstadt

Soria, 272 km. Die 1056 m hoch auf zwei Hügeln westlich des *Duero* gelegene und rund 25 000 Einwohner zählende Stadt (die Bevölkerungszahl nahm in den letzten 50 Jahren um mehr als 200% zu) darf wohl als die Nachfolgerin des 8 km nördlich gelegenen keltiberischen und von den Römern 133 v.Chr. zerstörten *Numancia* (beachtenswerte Ausgrabungen) gelten. Funde aus Numantia sind im *Museo Numantino* (*Paseo del General Yague*) zusammengetragen, weitere Funde aus keltiberischer Zeit befinden sich im *Museo Celtibérico* (beide Museen jetzt zusammengeschlossen in *Museo Provinzial*). Gegenüber der Diputación steht die romanische Kirche (restauriert) *San Juan de Rabanera* (beachtenswertes Tympanon am Westportal). Durch die *Calle de San Juan* gehen wir zur *Calle General Mola*. Von hier aus führt die *Calle Estudios* zur romanischen Kirche *Santo Domingo* (13.Jh.), während wir durch die *Calle de Aguirre* zum *Palacio de Gomara* (Ende 16.Jh.) kommen. An dem von der *Plaza de Aguirre* über eine Treppe zu erreichenden *Plaza Ayllón* steht die Kirche des *Carmen-Klosters* (17.Jh.), hinter der die *Calle del Carmen* und dann die *Calle Real* nach der unter Denkmalschutz stehenden Kathedrale *San Pedro* (12. und 13.Jh.; schöner romanischer Kreuzgang) führen. Jenseits des etwa 200 m entfernten Duero liegen links die Ruinen des Klosters *San Juan de Duero*; der eindrucksvollste Teil ist der Kreuzgang.

Soria: S. Juan del Duero

🚉 Burgos, Calatayud, Madrid, Pamplona.

🚌 Verbindungen in die Provinz und unter anderen nach Madrid.

🏨 „Parador Nacional Antonio Machado", Parque del Castillo.

🏨 „Florida", Nicolás Rabal 9.

🏨 „Casa David", Campo 6.

△ Paseo de San Francisco 1. — ©.

Information: Plaza Ramón y Cajal.

Weiterfahrt nach Madrid: über *El Burgo de Osma* und *Riaza* (Route 2a) oder über *Medinaceli* und *Guadalajara* (Route 2b).

2a: SORIA – EL BURGO DE OSMA – MADRID

Wir verlassen Soria in nordwestlicher Richtung auf der Straße 234/122, die sich 2 km außerhalb der Stadt gabelt. Wir folgen der Straße 122 uud erreichen nach Passieren etlicher Dörfer

El Burgo de Osma (3000 Einw.), 328 km. Das Städtchen, das bereits im 10.Jh. Bischofssitz wurde und im 16.Jh. eine Universität (heute Technikum) erhielt, besitzt eine beachtenswerte *Kathedrale* (13.Jh.; im 16. und 18.Jh. erweitert), die zusammen mit den von Laubengängen gesäumten Straßen dem Ort sein Gepräge gibt.

Am Ufer des Duero liegt die ehemalige Festungsstadt

San Esteban de Gormaz (2400 Einw.), 341 km. Seit der Eroberung des Städtchens durch die Franzosen (1808) sind die Stadtmauern Ruinen. Erhalten blieben die alte, 163 m lange Brücke über den Duero und die aus dem 12.Jh. stammenden Kirchen *San Miguel* und *del Ribero*, denen reich geschmückte Säulengänge vorgelagert sind.

Wir fahren auf der den Duero überquerenden Straße 110 weiter und kommen bald darauf in die Provinz Segovia. Über Riaza (siehe S. 44) erreichen wir die N. I und fahren auf ihr (siehe S. 44/45) nach

Madrid, 457 km.

2b: SORIA—MEDINACELI—MADRID

Wir verlassen Soria in südlicher Richtung auf der Straße 111, die durch die *Pinares de Almazán* (Pinienwaldungen) nach dem am Duero gelegenen und zum Teil noch von mittelalterlichen Mauern umgebenen Städtchen

Almazán (4000 Einw.), 307 km, führt. Drei mittelalterliche Stadttore, die romanischen Kirchen *San Miguel*, *San Vicente* und *Nuestra Señora de Campanario*, die spätgotische Kirche *Santa María de Calatañazor* und der *Palacio Hurtado de Mendoza* (15. Jh.) sind die Sehenswürdigkeiten des Städtchens.

Die nächste Station unserer Fahrt ist das zwischen der Straße 111 und der N. II (wichtigste Straße von Barcelona über Zaragoza nach Madrid) in 1200 m Höhe gelegene Dorf

Medinaceli (1000 Einw.), 382 km. Aus römischer Zeit stammt noch der *Triumphbogen* (um 200 n. Chr.), der einzige erhaltene dreitorige römische Triumphbogen Spaniens. In der *Stiftskirche* (16. Jh.) sind vierzehn Gräber der Herzöge von Medinaceli zu sehen. Der große Palast der Herzöge ist weniger sehenswert als die kleinen Adelshäuser, des Ortes.

Für die Weiterfahrt benutzen wir zunächst die N. II, biegen aber bei *Alcolea del Pinar* nach rechts in die Straße 114 ein. Auf ihr erreichen wir

Sigüenza (6000 Einw.), 417 km. Das fast 1000 m hoch über dem *Henares* gelegene Städtchen ist das *Segontia* der Keltiberer und Römer. In der Umgebung sind zahlreiche vorgeschichtliche Funde gemacht worden. Die bedeutendsten Sehenswürdigkeiten des Ortes sind das im Innern zerfallene *Castillo* (12 Jh.; später erneuert) und vor allem die *Kathedrale*, die im Kern ein romanischer Bau französischen Gepräges aus dem 12. Jh. ist. In dem an Kunstwerken sehr reichen Innern verdienen besonders die Grabmäler im rechten Querschiff und das im linken Querschiff gelegene Grab der heiligen *Librada*, der Patronin von Sigüenza, Beachtung. (🏨 „El Doncel".)

Wir fahren auf der Straße 204 zur N. II zurück und folgen dieser quer durch die Provinz Guadalajara zur Hauptstadt

Guadalajara (23 000 Einw.), 492 km. Die Stadt, die die Hauptstadt einer der am dünnsten bevölkerten Provinzen Spaniens ist, kann zwar auf eine wenigstens bis in römische Zeit zurückreichende Geschichte stolz sein, sieht sich aber besonders seit dem Spanischen Bürgerkrieg, der sie arg in Mitleidenschaft gezogen hat, einem ständigen Bevölkerungs- und damit auch Bedeutungsschwund gegenüber. Alle Sehenswürdigkeiten der Stadt sind während des Bürgerkrieges mehr oder weniger schwer beschädigt worden; der Wiederaufbau ist im allgemeinen noch im Gange. Wichtigste Baudenkmäler sind der Palast der *Duques del Infantado* (15. Jh.), die Kathedrale *Santa María de la Fuente* (13. Jh.; erneuert) und die Kirche *Santiago*, die Merkmale des Mudéjarstils aufweist.

🚆 Madrid, Barcelona, Pamplona.

🚌 In der Provinz und nach Madrid.

🏨 „Pax", etwa 1 km außerhalb, Richtung Zaragoza; 🏨 „San Gil", San Gil 2; „España", Teniente Figueroa 3.

Information: Travesía de Belodiez 1.

Wir setzen unsere Fahrt auf der N. II fort und kommen nach

Alcalá de Henares (26 000 Einw.), 517 km. Die wesentlichen Sehenswürdigkeiten der in römische Zeit zurückreichenden Stadt stammen aus der Zeit des Kardinals *Ximénez de Cisneros* (1436—1517), der der Stadt besonders zugeneigt war. Der Kardinal ließ für die von ihm gegründete Universität (1836 nach Madrid verlegt) das *Colegio de San Ildefonso* erbauen. In dem später erweiterten Gebäudekomplex befindet sich die staatliche *Hostería El Estudiante* (Colegio 3), ein im Stil kastilischer Gasthäuser des 15. Jh. eingerichtetes Restaurant. Auf Kosten des Kardinals Ximénez wurde um 1500 die Kirche *San Justo* erbaut, die nach dem Bürgerkrieg noch nicht wieder instandgesetzt worden ist. — Zu den in Alcalá de Henares geborenen bedeutenden Persönlichkeiten gehören der deutsche Kaiser *Ferdinand I.* (Bruder *Karls V.*) und der Dichter *Miguel de Cervantes Saavedra*, der Schöpfer des *Don Quijote*. (🏨 „Bari".)

Wir fahren auf der N. II weiter, kommen am Gelände des Flughafens Barajas vorbei und erreichen dann

Madrid, 548 km.

Route 3: Cuenca–Madrid

Routenkarte siehe Seite 55

Wer von Valencia nach Madrid fahren will, wird im allgemeinen die N. III benutzen. Es lohnt sich aber, diese Straße, auf der man am Stausee von *Contreras* die Grenze zwischen den Provinzen Valencia und Cuenca überschreitet, bei *Motilla del Palancar*, 152 km von Valencia, zu verlassen, um die sehenswerte Provinzhauptstadt

Cuenca (27 000 Einw.), 220 km, zu besuchen. Die Stadt liegt in 920 bis 1001 m Höhe über der Einmündung des *Huécarcañons* in den *Júcarcañon* und hat ein so mittelalterliches Gepräge, wie es in Spanien kaum eine andere Stadt aufzuweisen hat. In den Jahren 1808 und 1937 erlitt Cuenca schwere Zerstörungen; sie sind erst teilweise behoben. Das touristische Interesse konzentriert sich auf die an der *Plaza Mayor* gelegene und um 1200 erbaute gotische *Kathedrale* (*Capilla Albornoz* mit hervorragenden Grabmälern der Familie *Albornoz*; ansehnlicher Kirchenschatz) und auf die in der Nähe der Brücke *San Pablo* an den Felshängen über dem *Huécar* klebenden Häuser, die *Casas colgantes* (Hängende Häuser), die zum Teil bis zu sechs Stockwerken hoch sind. — Etwa 35 km nördlich von Cuenca liegt die *Ciudad Encantada*, eine durch Erosion entstandene „Märchenstadt" von rund 200 ha Größe, mit eigenartigen Felsgebilden wie „Römische Brücke", „Tank" und „Seelöwe". Eine weitere Natursehenswürdigkeit sind die rund 25 km östlich der Stadt gelegenen *Torcas*, Erdtrichter, die bis zu 700 m Durchmesser und bis zu 80 m Tiefe haben und auf deren Grund vielfach schöne Pinienhaine stehen.

Cuenca: Hängende Häuser

🚂 Madrid und Valencia.

🚌 In die Provinz, nach Madrid und Valencia.

🏨🏨🏨 „Alfonso VIII", Parque de San Julián 5.

🏨🏨 „Cortés", „Visa".

🏨 „Xucar", „Mora".

△ San Ignacio de Loyola 13.

Information: Calderón de la Barca 28.

Für die Weiterfahrt nach Madrid stehen uns zwei Wege offen: der Weg über das *Mar de Castilla* (3 a) und der über *Tarancón* (3 b).

3 a: CUENCA – MAR DE CASTILLA – MADRID

Wir verlassen Cuenca auf der Straße 320 in nordwestlicher Richtung und kommen in das Gebiet der großen Stauseen *Entrepeñas* und *Buendía* im Tal des *Tajo*. Diese Stauseen werden *Mar de Castilla* (Kastilisches Meer) genannt und entwickeln sich mehr und mehr zu einem Erholungs- und Wassersportzentrum der Madrider. Mittelpunkt des Gebiets ist das kleine *Sacedón*, 308 km. 🏨🏨🏨 „Mar de Castilla".

Über Guadalajara und Alcalá de Henares (siehe Route 2) erreichen wir

Madrid, 420 km.

3 b: CUENCA – TARANCÓN – MADRID

Wir verlassen Cuenca in westlicher Richtung auf der Straße 400, die durch bewaldetes Bergland nach dem Städtchen *Tarancón* (7000 Einw.), 302 km, führt. In dem Ort steht ein *Schloß*, das *Maria Cristina*, die Gattin König *Ferdinands VII.*, für ihren Günstling um 1835 erbauen ließ. In der gotischen Pfarrkirche befindet sich ein Flügelaltar aus dem 16. Jh.

Kurz hinter Tarancón kommen wir auf die N. III (Valencia—Madrid) und überschreiten bald darauf die Grenze zwischen den Provinzen Cuenca und Madrid. Über *Villarejo de Salvanes* (Kirche aus dem 13. Jh. und viereckiger Bergfried) und *Arganda del Rey* (Kirche aus dem 16. Jh. mit churrigueristischen Altären) erreichen wir den Madrider Vorort *Vallecas* und dann

Madrid, 384 km.

Route 4: Madrid–Valdepeñas

Routenkarte siehe Seite 55

Wer von Madrid aus an die Badeküsten Andalusiens fahren will, benutzt am besten die N. IV bis *Bailén* und dann die über *Granada* führende Straße 323. Die N. IV verläuft über die Meseta Neukastiliens und durch die Mancha und hat weder in landschaftlicher noch in sonstiger Hinsicht viel zu bieten. Dafür ist sie in ihrem zentralspanischen Abschnitt eine ziemlich geradlinige Straße ohne nennenswerte Steigungen und daher sehr schnell.

Wir verlassen Madrid vom Puente de Toledo aus auf der N. IV und erreichen nach 14 km einen nach links abzweigenden Weg, der auf den 670 m hohen *Cerro de los Ángeles* hinaufführt. Da der Berg die geographische Mitte Spaniens ist, wird er einfach *El Punto* (Der Punkt) genannt. Das *Herz-Jesu-Denkmal* (28 m hoch, die Christusstatue allein 9 m) wurde 1919 errichtet.

Nach diesem Abstecher (1 km je Weg) fahren wir auf der N. IV weiter, passieren nach etwa 6 km das rechts gelegene *Pinto* (Burg aus dem 15. Jh.; in ihr hielt *Philipp II.* die Fürstin *Eboli*, die nicht zuletzt durch *Schillers* Drama „Don Carlos" bekannt ist, gefangen) und kommen dann nach

Aranjuez (28 000 Einw.), 48 km. *Schillers* Drama „Don Carlos" beginnt mit den Worten „Die schönen Tage in Aranjuez". Wahrhaft schöne Tage kann man im Herbst in Aranjuez verleben; denn Aranjuez bezaubert vor allem durch seine Natur, sein Wasser, seine Wälder und Parks, und diese Natur ist in den Farben des Herbstes besonders schön. Aber der Ort, der erst von König *Ferdinand VI.* (1746—1759) gegründet wurde, kann auch mit Bau- und Kunstdenkmälern aufwarten. Es ist daher dringend zu empfehlen, für Aranjuez einen vollen Tag vorzusehen.

Südlich der Tajobrücke liegt die *Plaza de San Antonio*, die umgeben ist von der *Casa del Infante* (1799) und dem *Jardín de Isabel II* (im Osten), der *Capilla de San Antonio* (Mitte 18. Jh.) im Süden, der *Casa de Oficios* (Unterkünfte des Hofstaats) im Westen und — an diese Casa sich nach Norden anschließend — dem *Parterre-Garten* (Mitte 18. Jh.) des *Palacio Real*. Am Anfang des Gartens steht der prächtige *Herkulesbrunnen* (Mitte 18. Jh.). Aus dem Garten führt in unmittelbarer Nähe des Palastes eine kleine Treppenbrücke über einen vom Tajo abgeleiteten Kanal in den *Jardín de la Isla*, in den zwischen Kanal und Tajo gelegenen und Mitte des 17. Jh. angelegten Inselgarten, der mit Statuen und Brunnen reich geschmückt ist. Der *Palacio Real*, die einstige königliche Sommerresidenz, steht an der Stelle eines im 14. Jh. erbauten Hauses des Santiago-Ordens. Der Palast wurde unter *Philipp II.* von *Juan Bautista de Toledo* und *Juan de Herrera*, den Baumeistern des Escorials, erbaut. Nach einem Brand wurde er im 17. und 18. Jh. erneuert und erweitert. Das Innere des Palastes ist gut ausgestattet, birgt aber keine überragenden Kunstwerke.

An der schon erwähnten Tajobrücke beginnt die *Calle de la Reina*, eine Ulmen- und Platanenallee, die am *Jardín del Príncipe* (18. Jh.) entlang zur *Casa del Labrador* führt. Das um 1800 erbaute Schlößchen lohnt eine eingehende Besichtigung. *Es ist wie der Palacio Real von 10—13 und von 16—19 Uhr geöffnet.*

🚆 🚌 Madrid und andere.
🏨 „Mercedes"; „Francisco José".
🏠 „Pastor"; „Delicias"; „Draysi".
© Soto del Castillo.

Information (und Eintrittskarten): Plaza de Rusiñol.

Wir setzen die Fahrt über Ocaña (7000 Einw.), 63 km, fort. In dem Städtchen verdienen der Palast der Herzöge von *Frías* (um 1500) an der *Plaza del Duque de la Victoria* und die Kirche *San Juan* Beachtung (Volksfest am 8. Sept.).

Wer das Land des Don Quijote kennenlernen will, verläßt die N. IV bei *Tembleque*, 94 km, von wo aus es auf

Aranjuez: Palacio Real

dem direkten Weg noch 121 km bis *Valdepeñas* sind. Wir biegen in die nach Südosten führende Straße 402 ein und kommen durch die nördliche Mancha nach *Quintanar de la Orden* (10 000 Einw.), 140 km. Das Städtchen produziert schmackhafte Liköre und ist ein Mittelpunkt des Weinhandels. Am Südrand des Ortes schlagen wir die Landstraße nach dem Dorf

El Toboso, 149 km, ein. Hier wird das unscheinbare Haus gezeigt, in dem *Dulcinea*, die Phantasie-Geliebte des Don Quijote, gelebt haben soll. In dem Haus wird eine Quijote-Bibliothek eingerichtet. Bei der Dulcinea hat es sich wahrscheinlich um *Ana Zarco de Morales* gehandelt, in die sich der Dichter Cervantes bei einem Aufenthalt in El Toboso verliebte.

Von El Toboso aus fahren wir in nordöstlicher Richtung zur Straße 301 (Madrid—Albacete) und stoßen am Treffpunkt der beiden Straßen auf die *Venta de Don Quijote*, ein Gasthaus, in dem Don Quijote seine Waffen-Nachtwachen gehalten haben soll.

Mota del Cuervo, 164 km, ist der Ort, in dessen Umgebung Don Quijote seine ersten Windmühlenkämpfe ausgefochten haben soll. In der Gegend stehen noch etliche Windmühlen, andere sollen wiederaufgebaut werden. Außerdem wird im nahen Gebirge ein Quijote-Denkmal von 30 m Höhe und Länge errichtet; im Innern des Pferdekopfes soll ein Salon Platz finden, der Kopf Don Quijotes wird als Aussichtsturm dienen.

16 km östlich von Mota del Cuervo liegt das Städtchen *Belmonte*, dessen prächtige Burg (15. Jh.) und Stiftskirche (13. und 15. Jh.) unter Denkmalschutz stehen. Das Städtchen hat als Schauplatz für den ersten Teil des Films „El Cid" gedient.

Von Mota del Cuervo aus fahren wir auf der Straße 420 bis *Pedro Muñoz* und von dort auf einer Landstraße nach *Tomelloso* (28 000 Einw.), 207 km. Der Ort ist der Mittelpunkt eines bedeutenden Weinbaugebiets. Ein Wagenmuseum ist im Aufbau, in dem Wagen gezeigt werden, auf denen früher die Trauben von den Weinfeldern in die Stadt transportiert worden sind. Die Kirche der *Virgen de las Viñas* (Jungfrau der Weinberge) ist in der zweiten Aprilhälfte Wallfahrtsziel.

Bald nach Überqueren des *Canal de Tomelloso*, der aus dem weiter südlich gelegenen Stausee von *Peñarroya* kommt, erreichen wir das große Dorf

Windmühlen in der Mancha

Argamasilla de Alba (8000 Einw.), 215 km. Hier wurde der Dichter Cervantes einige Zeit gefangen gehalten, und während dieser Gefangenschaft entstanden die ersten Kapitel des Romans „Don Quijote". Cervantes läßt seinen Helden in Argamasilla geboren werden und sterben. Das Haus, in dem der Dichter gefangen war, wird gezeigt.

Es lohnt sich, einen Abstecher (30 km je Weg) nach dem südöstlich gelegenen *Castillo de Peñarroya* und dem Seengebiet von *Ruidera* zu machen, das sich unter dem Namen *Entrelagos* zu einem Touristenziel entwickelt.

Wir fahren von Argamasilla auf der Straße 310 weiter nach *La Solana* und von dort auf der Straße 430 nach *Manzanares* (19 000 Einw.), 254 km, das an der N. IV liegt, also an der Straße, auf der wir Madrid verlassen haben. Auf dieser Straße erreichen wir den Ort

Valdepeñas (26 000 Einw.), 281 km. Das kleine *Weinmuseum* der Stadt, in der es zahlreiche Weinkellereien gibt, ist noch im Aufbau. Für Touristen wird ein Weinkeller gebaut, in dem außer den Rotweinen der Umgebung fast alle Weine Spaniens zu probieren und zu kaufen sein werden. Anfang September findet das *Weinlesefest* statt.

🏨 Madrid, Sevilla.

🏨 „Motel Meliá el Hidalgo" (7 km nördlich der Stadt an der N. IV).

🏨 „Damián", Gregorio Prieto 21.

🏨 „Tu Casa", „Cervantes".

50 km südlich verläuft in der *Sierra Morena* bei *Venta de Cardenas* die Grenze zwischen Kastilien und Andalusien.

Route 5: Madrid–Ciudad Real

Die Straße von Madrid über Toledo und *Ciudad Real* und durch die *Sierra Morena* nach dem andalusischen *Montoro* und weiter nach *Córdoba* ist über weite Strecken eintönig und hört eigentlich schon in Toledo auf, touristisch interessant zu sein. Wer sich aber unter anderem für den spanischen Bergbau interessiert, wird diese Straße nicht ohne Gewinn fahren.

Man verläßt Madrid vom Puente de Toledo aus auf der Straße 401, die *Getafe* (Pfarrkirche mit Gemälden von *Alonso Cano*, 17. Jh.) umgeht und nach *Illescas* (2500 Einw.), 37 km, führt. In der Kapelle des Hospitals *de la Caridad* sind fünf Gemälde von *El Greco* zu sehen, die zu den besten Alterswerken (1602—04) des Meisters zählen.

© Camping Madrid-Toledo.

Über *Olias del Rey*, 59 km, kommen wir nach Toledo, 71 km, das auf den Seiten 37—41 beschrieben ist.

Wir setzen unsere Fahrt auf der Straße 401 fort und kommen über *Burguillos de Toledo* © und *Ajofrín* (Pfarrkirche mit beachtenswerter Innenausstattung) nach dem Städtchen

Orgaz (4000 Einw.), 104 km. Die *Pfarrkirche* (um 1760) ist eines der letzten Werke von *A. Churriguera*; im Innern sind gute Plastiken und Gemälde aus der älteren Kirche zu sehen, außerdem ein reicher Kirchenschatz. Die *Burg* wurde im 14. Jh. erbaut. — Von Orgaz aus kann man einen Abstecher (10 km je Weg) nach *Mora*, einem Zentrum des Olivenanbaus, machen. Ende April wird hier die *Fiesta del Olivo* (Fest des Olivenbaums) gefeiert, das unter vielem anderen mit einer Ausstellung von Knüpfteppichen, Möbeln und Kuhglocken, die alle in Mora hergestellt werden, verbunden ist.

Beständig steigend führt die Straße 401 in der Nähe des Schlosses *Guadilerzas* (14. Jh.) vorbei hinauf zur Wasserscheide zwischen *Tajo* und *Guadiana*, in deren Nähe zugleich die Grenze zwischen den Provinzen Toledo und Ciudad Real verläuft. Südlich der Wasserscheide passiert die Straße den rechts gelegenen *Gasset-Stausee*, überquert dann den Guadiana und endet in

Ciudad Real (40 000 Einw.), 186 km. Die 1252 als *Villa Real* gegründete (1420 in Ciudad Real umbenannt) Stadt erhielt 1489 eine Stadtmauer, die ein Areal umschloß, das noch vor wenigen Jahrzehnten nicht ganz bebaut war. Heute ist von der Stadtbefestigung nur die *Puerta de Toledo*, durch die man von Norden her in die Stadt fährt, noch gut erhalten. Das Zentrum der Stadt bildet die von Arkaden umgebene *Plaza Mayor* mit dem *Quijote-Denkmal* (1966). An dem nicht weit entfernten *Prado* steht das bedeutendste Baudenkmal der Stadt, die zu Beginn des 16. Jh. erbaute gotische Kathedrale *Santa María del Prado* (Mitte August: Fiesta de la *Virgen del Prado*).

An der Strecke Madrid—Badajoz.

„Castillos“, Rey Santo 6.

„Alfonso el Sabio“. — △ „Colegio Menor El Parcel“, Ronda del Parque.

Information: Calle Toledo 17.

Von Ciudad Real aus kann man eine Rundfahrt durch den der Sierra Morena vorgelagerten *Campo de Calatrava* machen. Man fährt auf der Straße 415 in südöstlicher Richtung nach

Almagro (10 000 Einw.), 209 km. Der Palast war früher Sitz der Großmeister des Calatrava-Ordens, eines im 12. Jh. gegründeten Ritterordens, dessen Aufgabe es war, die Grenzen des christlichen Spaniens gegen das maurische Andalusien zu schützen. Die Kirche und der plattereske Kreuzgang des *Dominikanerklosters* (16. Jh.) sind sehenswert. Der Ort besitzt den einzigen in Spanien noch bestehenden *Corral* (Theaterhof).

Wir fahren auf der Straße 417 in südlicher Richtung weiter nach *La Calzada Calatrava*, 229 km. Hier stoßen wir auf die ersten *Erzbergwerke* (die Sierra Morena und ihr Vorland ist reich an Erz- und Kohlevorkommen). Von hier aus machen wir auf einer Nebenstraße einen Abstecher (8 km je Weg) nach dem *Puerto de Calatrava*, der von der *Klosterburg* (13. Jh.) der Calatrava-Ritter beherrscht wird.

Dann fahren wir von La Calzada aus nach *Puertollano*, 255 km, dem Zentrum eines großen Steinkohlengebiets. Von dieser Stadt (55 000 Einw.) aus können wir einen Abstecher (86 km je Weg) nach dem im äußersten Westzipfel der Provinz Ciudad Real gelegenen *Almadén* machen. Dort befindet sich die ergiebigste Quecksilberlagerstätte der Erde. — Von Puertollano fahren wir auf der Straße 420 nach Ciudad Real, 291 km, zurück.

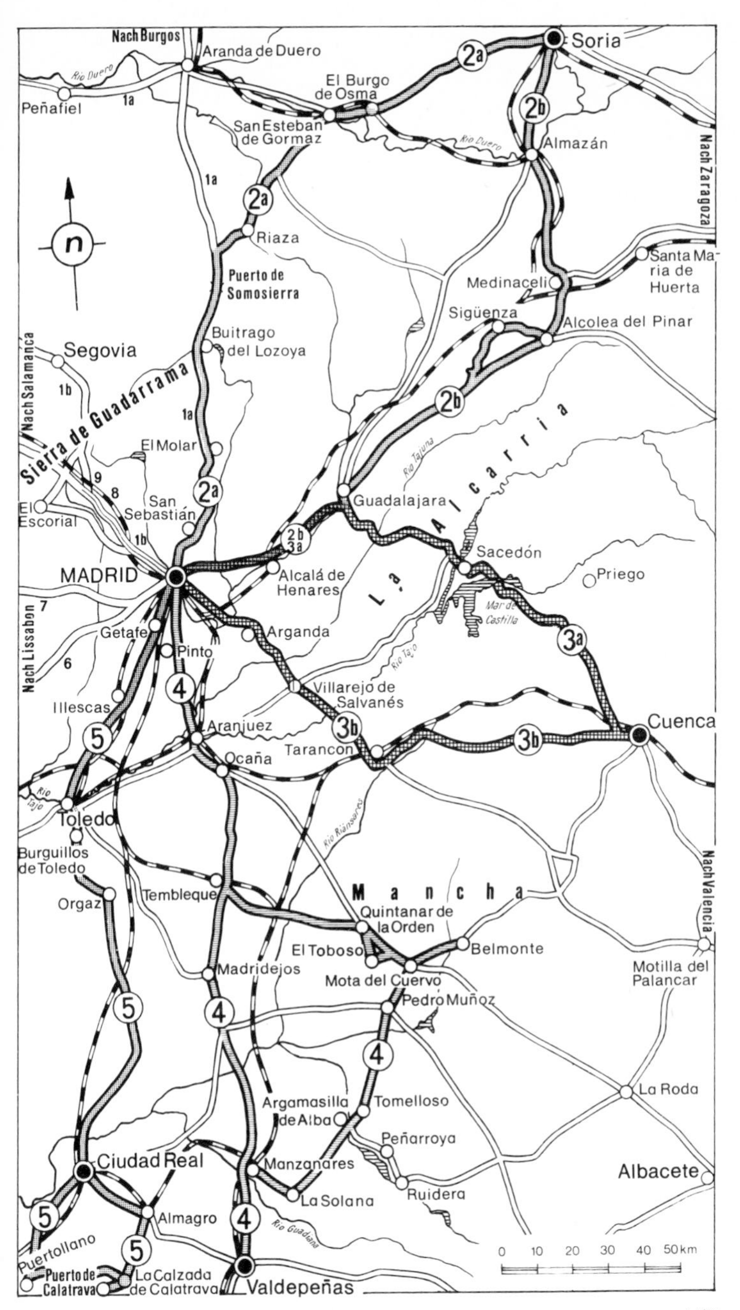

Nach Burgos
Aranda de Duero
Soria
Río Duero
Peñafiel
1a
El Burgo de Osma
2a
2b
San Esteban de Gormaz
Almazán
Nach Zaragoza
1a
Riaza
n
Santa Maria de Huerta
Puerto de Somosierra
Medinaceli
Sigüenza
Alcolea del Pinar
Nach Salamanca
Segovia
Buitrago del Lozoya
Sierra de Guadarrama
1b
1a
El Molar
La Alcarria
Río Tajuña
9
8
El Escorial
San Sebastián
Guadalajara
1b
2b 3a
Sacedón
MADRID
Alcalá de Henares
Priego
7
Nach Lissabon
Getafe
Arganda
Mar de Castilla
3a
Pinto
6
Río Tajo
4
Villarejo de Salvanés
Illescas
Aranjuez
3b
Cuenca
5
Tarancon
Ocaña
Río Tajo
Toledo
Río Riansares
Burguillos de Toledo
Nach Valencia
Tembleque
Mancha
Orgaz
Quintanar de la Orden
El Toboso
Belmonte
Motilla del Palancar
Madridejos
Mota del Cuervo
Pedro Muñoz
Argamasilla de Alba
Tomelloso
La Roda
Peñarroya
Ciudad Real
Manzanares
Albacete
Ruidera
La Solana
Almagro
Río Guadiana
Puertollano
0 10 20 30 40 50 km
Puerto de Calatrava
La Calzada de Calatrava
Valdepeñas

Route 6: Madrid–Badajoz

Wir verlassen Madrid über den Puente de Segovia auf der N. V, einer vorwiegend ziemlich geradlinigen Straße ohne nennenwerte Steigungen. Über *Navalcarnero* fahren wir nach *Maqueda*, 73 km, einem Dorf mit altem Pranger, einer Burg aus dem 15. Jh. und der zum Teil im Mudéjarstil gehaltenen Kirche *Santa María* (15. Jh.). Die nächste Station ist die am Nordufer des Tajo gelegene Stadt

Talavera de la Reina (50 000 Einw.), 117 km. Die zum Teil aus römischer und maurischer Zeit stammenden Reste der Stadtbefestigung künden von dem hohen Alter der Stadt. Von den Kirchen sind vor allem die gotische Stiftskirche *Santa María* (13. Jh.) und die am Ostrand der Stadt links der N. V gelegene *Ermita de la Virgen del Prado* (im 15. Jh. erneuert) besuchenswert. In der Ermita sind prächtige Azulejos (Kacheln) zu sehen. Talavera ist auch heute noch wegen seiner Keramikherstellung bekannt.

Von Talavera aus führt die Straße 502 in die *Sierra de Gredos* (siehe S. 58) und die Straße 503/401 nach Guadalupe (siehe S. 57).

Auf der N. V kommen wir nach *Oropesa*, 147 km, einem kleinen Ort, dessen prächtige Burg (um 1400) in den 🏨 *Parador Nacional Virrey Toledo* umgewandelt worden ist. Ort und Parador liegen etwa 1 km südlich der N. V.

Wenig nördlich des rund 40 km langen Tajo-Stausees *Valdecañas* (rund 1400 Millionen cbm Fassungsvermögen) fahren wir nach dem bereits in der Provinz *Cáceres* liegenden *Navalmoral de la Mata* (9000 Einw.), 178 km, einem Zentrum des Tabak- und Olivenanbaus. Von hier aus kann man einen Abstecher (40 km je Weg) nach *Yuste* (siehe S. 58) machen.

Oropesa: Parador

Nach Überqueren des Tajos steigt die N. V zum *Puerto* (Paß) *de Miravete* (665 m) hinauf, passiert die mächtige Kirche (16. Jh.) von *Jaraicejo* und führt dann — zunächst in zahlreichen Windungen und mit mäßigem Gefälle — nach der *Stadt der Conquistadoren*.

Trujillo (15 000 Einw.), 252 km. In dieser Stadt weitgehend mittelalterlichen Gepräges wurden *Francisco Pizarro* (um 1475—1541), der Eroberer *Perus*, und viele andere Conquistadoren geboren. Auf der hübschen, von Arkadenhäusern umgebenen *Plaza Mayor* steht ein Reiterstandbild *Pizarros*, 1927 von dem US-Amerikaner *Rumsey* geschaffen und von dessen Frau der Stadt geschenkt. An der Nordostecke des Platzes steht die Kirche *San Martín* (16. Jh.). An der Nordseite erhebt sich die *Torre del Alfiler*, in deren Nähe eine Treppe und dann die *Calle Lamar* zur Kirche *Santa María la Mayor* (13./14 Jh.) hinaufführen. In der Nähe steht auf dem höchsten Punkt der Granitkuppe, um die die Stadt sich gebildet hat, das *Castillo*, dessen rechteckige Türme noch aus maurischer Zeit stammen.

Die N. V führt über den nur 344 m hohen *Puerto* (Paß) *de Santa Cruz* und an der Einmündung (links) der von Guadalupe (siehe S. 57) kommenden Straße 401 vorbei aus der Provinz Cáceres hinüber in die Provinz *Badajoz* (diese beiden Provinzen bilden die Landschaft *Extremadura*). Wenige Kilometer südwestlich der Provinzgrenze stoßen wir auf die Einmündung der Straße 520 (links), auf der wir einen Abstecher (14 km je Weg) nach dem am Guadiana gelegenen *Medellín* machen, dem Geburtsort von *Hernán Cortés* (1485—1547), der *Mexico* eroberte. In der gut erhaltenen Burg aus dem 14. Jh. befindet sich ein Museum, dessen Sammlungen sich mit der Geschichte der spanischen Gebiete Südamerikas befassen.

Wir fahren auf der N. V weiter über *Trujillanos* (von hier führt ein Weg zum Stausee *Cornalvo*, der von den Römern zur Wasserversorgung *Méridas* angelegt worden ist) nach

Mérida (35 000 Einw.), 336 km. Die am Guadiana gelegene Stadt wird das „Spanische Rom“ genannt. Sie wurde um 25 v. Chr. von den Römern gegründet, erhielt den Namen *Augusta Emerita* und wurde Hauptstadt der Provinz *Lusitania* (siehe S. 8). Der Blüte in römischer Zeit folgte ein allmähliches Absinken in westgotischer, maurischer (seit 713) und christlich-spanischer (seit 1228) Zeit. Es kann daher kaum überraschen, daß die wichtigsten Baudenkmäler aus römischer Zeit stammen.

Bei der Einfahrt von Trujillo her kreuzt man gegenüber der kleinen Kirche *S. Lázaro* das Gelände des ehemaligen *Circus Maximus*. Kurz darauf biegt man nach links ein und fährt am vorwiegend maurischen *Acueducto moderno* entlang (auch Reste eines römischen Aquädukts sind hier zu sehen) zum römischen *Amphitheater*, zu dem recht gut erhaltenen und teilweise wieder aufgebauten römischen *Theater* (16 v. Chr.) und zur *Plaza de Toros* (Stierkampfarena), hinter der noch Ruinen der römischen *Stadtmauer* zu sehen sind. Von der Plaza de Toros aus fährt man nach dem unmittelbar am Guadiana gelegenen *Alcázar*, einem von den Mauren im 9. Jh. veränderten Gebäude. Neben dem Alcázar spannt sich die um Christi Geburt erbaute und später mehrmals erneuerte römische *Brücke* über den Guadiana. Vom Alcázar aus sind es nur wenige Schritte zur *Plaza de España*, in deren Nähe sich das *Museum* (vorwiegend römische Statuen) und der *Arco de Traiano* (römisches Stadttor) befinden. Über die *Plaza Queipo de Llano* und die Straßen *Almendralejo* und *Teniente Coronel Yugüe* kommt man zur Kirche *Santa Eulalia*, vor der eine zum Teil aus den Steinen des römischen *Marstempels* erbaute Kapelle steht. Die Kapelle wird *Horno de Santa Eulalia* (Backofen der heiligen Eulalia) genannt, weil sie an der Stelle jenes Backofens stehen soll, in dem die Märtyrerin Eulalia im Jahr 304 getötet worden sein soll. Nordwestlich des von der Kapelle nicht weit entfernten Bahnhofs steht ein zum Teil gut erhaltener römischer Aquädukt (*Los Milagros* = der Wunderbau).

„Parador Nacional Vía de la Plata", Queipo de Llano 3.

„Texas"; „Calderón".

Durch die gut bewässerte und von Getreidefeldern bedeckte *Vega del Guadiana* fährt man weiter nach der nur 6 km von der spanisch-portugiesischen Grenze entfernten Provinzhauptstadt **Badajoz** (97 000 Einw.), 397 km. Die in römische Zeit zurückreichende Stadt war bis 1812 eine oftmals belagerte Grenzfestung. Heute steht sie im Mittelpunkt des „Plans Badajoz", eines der größten Bewässerungsprojekte Spaniens. In der Altstadt ist die Enge der Festung erhalten geblieben. Festungscharakter hat auch die im 13. Jh. erbaute *Kathedrale* (die Fassade ist modern). Im Nordwesten der Stadt liegen die *Puerta de Palmas* und die den Guadiana überspannende 582 m lange *Puente de Palmas* (beide Ende 16. Jh.).

Madrid, Sevilla, Lissabon.

In die Provinzen Badajoz, Cáceres und Sevilla.

„Gran Hotel Zurbarán".

„Rio", Av. de Elvas.

„Montecristo", Afligidos 4.

△ Avenida José Antonio 24.

Information: Moreno Nieto 12 a.

Statt der N. V kann man ab Talavera auch die Straßen 503 (bis *La Nava*) und 401 benutzen. Man kommt dann über *Guadalupe*, dessen 1340 gegründetes großartiges und mit Kunstwerken reich ausgestattetes Kloster einen Besuch lohnt. Der Umweg beträgt nur 10 km, ist aber der kurvenreichen Bergstraße wegen zeitraubend. „Parador Nacional de Zurbarán".

Routen 6 und 7

Route 7: Madrid–Cáceres

Routenkarte siehe Seite 57

Diese Route kann bis Plasencia als eine empfehlenswerte Variante der Route 6 angesehen werden. Alle an ihr gelegenen Sehenswürdigkeiten können von der Route 6 aus in nicht zu großen Abstechern erreicht werden.

Wie bei der Route 6 verlassen wir Madrid auf der N. V, nehmen aber kurz vor *Alcorcón* die nach rechts abzweigende Straße 501, die in die bis nahe Plasencia sich hinziehende *Sierra de Gredos* führt. Diese Sierra, die die Sierra de Guadarrama fortsetzt, entwickelt sich in ihrem östlichen Teil mehr und mehr zu einem Paradies für Wassersportler und ist in ihrem mittleren Teil ein bevorzugtes Ziel der Bergsteiger.

Wir kommen zunächst an den rund 14 km langen *Pantano de San Juan*, 56 km, einen Stausee, der dem Wassersport zur Verfügung steht (größte Segelflotte Spaniens; bedeutendste Segelschule des Landes). Die Entwicklung der Hotellerie hat allerdings noch kaum begonnen.

Wir fahren über *San Martín de Valdeiglesias* und vorbei an dem rechts etwas abseits gelegenen Kloster *Guisando* (14. Jh.) nach dem Städtchen

Arenas de San Pedro (7000 Einw.), 130 km. Hier sind das Kloster *San Pedro de Alcántara* mit der von *Rodríguez* geschaffenen Kapelle und dem Grab des heiligen *Petrus von Alcántara*, ferner die Burg (um 1400) *de la Triste Condesa* und das Palais (18. Jh.) des Infanten *Don Luis Antonio de Borbón* sehenswert. Der Ort ist Ausgangspunkt für die Besteigungen der bis zu fast 2600 m hohen *Picos de Gredos* (Ausrüstung und Führer stehen zur Verfügung). ⌂ „eva". Etwa 40 km nördlich steht in der Nähe von *Navarrodonda de la Sierra* (△ Gredos) der ⌂ *Parador Nacional de Gredos*, in dem man Quartier nehmen sollte, wenn man den einen oder andern Tag in den Gredos verbringen möchte.

Über *Candeleda* und *Jarandilla* (in der Burg der ⌂ Parador Nacional de Carlos V), 188 km, kommen wir nach *Cuacos*, wo nach rechts ein Weg zum 2 km entfernten *Monasterio de San Jerónimo de Yuste* abzweigt. Das an sich nicht sehr bedeutende Kloster wurde dadurch bekannt, daß sich Kaiser *Karl V.* nach seiner Abdankung (1557) in dieses Kloster zurückzog und dort 1558 starb.

Am Rande der Sierra de Gredos und im Tal des *Jerfe* liegt die Stadt

Plasencia (22 000 Einw.), 235 km. Die Ende des 12. Jh. gegründete und damals auch mit der heute noch stehenden doppelten Stadtmauer (sechs Tore und 68 Türme) umgebene Stadt gruppiert sich um die *Neue Kathedrale*, mit deren Errichtung 1498 begonnen wurde (sie ist unvollendet geblieben). Beachtenswert sind die prunkvolle plateresk Fassade und im Innern die *Capilla Mayor* mit dem Altar (1626) von *Gregorio Fernández*. In der *Alten Kathedrale* (heute Pfarrkirche *Santa María*) steht auf dem Hochaltar eine bemalte Holzstatue (13. Jh.) der *Virgen del Perdón*.

⌂ „Alfonso VIII" Alfonso VIII 32.
⌂ „Iberia", Melquiades Constancia 27.

Unmittelbar südlich des 493 m hohen *Puerto de los Castaños* lädt eine nach rechts abzweigende Straße zu einem Abstecher (insgesamt 55 km) nach dem malerischen und von mächtigen mittelalterlichen Mauern umgebenen Städtchen *Coria* (8000 Einw.) ein. In der vorwiegend gotischen Kathedrale sind neben anderen Kunstwerken zwei großartige Grabmäler (16. Jh.) zu sehen.

Wir fahren auf der Straße 630 (Plasencia—Cáceres—Mérida) weiter und haben unmittelbar nach Überqueren des Tajos Gelegenheit zu einem weiteren Abstecher (53 km je Weg). Die nach rechts abzweigende Straße führt durch ein Seengebiet nach *Alcántara*, dessen große Sehenswürdigkeit die römische Tajobrücke (um 105 n. Chr.) ist.

Cáceres (58 000 Einw.), 320 km, die Hauptstadt der gleichnamigen Provinz, besteht aus Neu- und Altstadt. Die hoch gelegene Altstadt betritt man von der *Plaza Mayor* aus. Ihre wichtigsten Sehenswürdigkeiten sind die Kirche *Santa María* (15. Jh.), die südlich davon gelegene plateresk *Casa de los Golfines* (15. Jh.) und die *Casa de las Veletas* (Provinzialmuseum).

Madrid, Mérida, Badajoz.
Madrid, Badajoz, Guadalupe u. a.
⌂ **„Extremadura", Av. Guadalupe.**
⌂ **„Toledo"; ⌂ „Álvarez", „Jamec".**
Information: **Plaza Mayor.**

Route 8: Madrid–Zamora/Ciudad Rodrigo

Wir verlassen Madrid von der Plaza de España aus auf der nach La Coruña führenden N. VI, der wir über *Torrelodones, Villalba* und *Guadarrama* bis zur Straßengabelung unterhalb des *Puerto de Guadarrama* folgen. An dieser Gabelung haben wir zu wählen zwischen der nach rechts abzweigenden Straße, die in durchschnittlich 1260 m Höhe durch den rund 2900 m langen *Tunel de Guadarrama* auf die Nordwestseite der Sierra de Guadarrama führt, oder der alten bis auf 1511 m ansteigenden Paßstraße. Wegen der herrlichen Aussicht, die man von der Paßhöhe aus hat, sollte man die Paßstraße bevorzugen. Der Paß heißt übrigens offiziell *Alto de los Leones de Castilla*, und zwar wegen der Steinlöwen, die hier 1749 aufgestellt worden sind. Die Paßhöhe liegt auf der Grenze zwischen den Provinzen Ávila und Madrid und zwischen den Regionen Alt- und Neukastilien, ferner auf der Wasserscheide zwischen Duero und Tajo.

Wir fahren auf der nun zum Teil stark an- und absteigenden N. VI nach dem ein wenig abseits der Straße gelegenen *Villacastín* (2000 Einw.), 85 km. Am Ortseingang steht die beachtenswerte *Pfarrkirche* (16. Jh.), die einen großartigen Hochaltaraufsatz aus dem 16. Jh. besitzt. Am Westrand des Ortes führt die von der N. VI nordwestlich des Ortes abzweigende Straße 501/110, die Straße nach Ávila, vorbei.

Ávila (27 000 Einw.), 114 km, dessen früheste Geschichte reichlich legendär ist, liegt am Ostufer des *Adaja* und steigt nach Osten hin allmählich bis auf 1131 m an. Damit ist Ávila die am höchsten gelegene Provinzhauptstadt Spaniens. Die Altstadt, die dem Fluß am nächsten liegt, bildet ein nach Osten gerichtetes Rechteck von etwa 900 m Länge und etwa 400 m Breite und ist von einer Mauer umgeben, die Ende des 11. Jh. unter Verwendung von römischem Baumaterial errichtet wurde, rund 2500 m lang ist und durch 86 halbrunde Türme verstärkt wird, durch die neun Tore hindurchführen. Diese Mauer (sie wurde bis in die neueste Zeit hinein mehrmals restauriert) ist die große Attraktion Ávilas, und es lohnt sich, einen Spaziergang um das Mauerviereck zu machen.

Wir beginnen den Rundgang an der *Puerta del Alcázar* (Südostecke des Mauervierecks) gegenüber der *Plaza de Santa Teresa de Jesús* und gehen von hier aus zunächst an der Südseite der Altstadt entlang. Auf dem *Paseo del Rastro* kommen wir zur *Puerta de Santa Teresa*, durch die wir einige Schritte in die Stadt hineingehen. An der *Plaza de la Santa* steht der *Convento de Santa Teresa*. Die barocke Klosterkirche wurde 1636—1638 an der Stelle des Geburtshauses der heiligen *Theresia* (1515—1582), der größten Mystikerin der katholischen Kirche, erbaut. Reliquien der Heiligen sind in der Kapelle *San Elías* zu sehen.

Wir gehen durch das Stadttor wieder hinaus und erreichen die an der Westseite gelegene *Puerta del Puente*, der gegenüber sich neben einer modernen Brücke noch die mittelalterliche Brükke über den Adaja befindet. Der Aus-

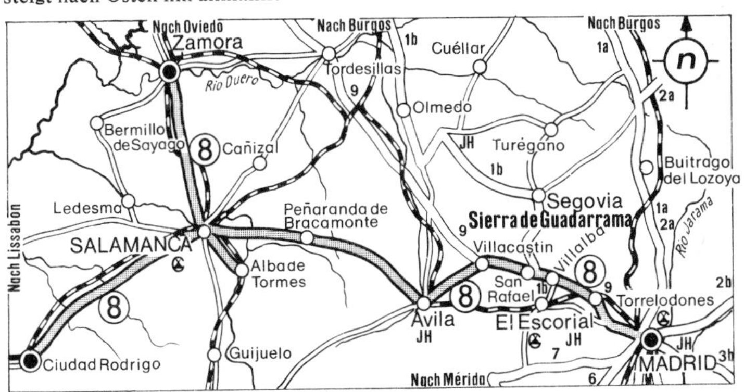

Route 8

Stadtmauern von Ávila

sicht auf die Stadt wegen lohnt es sich, jenseits des Flusses zum Kreuz *de los Cuatro Postes* hinaufzusteigen.

Auf dem Rundgang um die Stadt kommen wir zur *Ermita de San Segundo* (12. Jh.) mit dem Grabmal des legendären ersten Bischofs von Ávila, des heiligen *Segundus*. Die Statue (1573) ist ein Werk von *Juan de Juni*.

Wir gehen an der Nordseite der Stadt weiter. Von der *Puerta del Mariscal* aus ist es nicht weit bis zu den weiter nördlich gelegenen Einsiedeleien *San Martín* (18. Jh.) und *Nuestra Señora de la Cabeza* (13. Jh.) und zum *Convento de la Encarnación*, in dem die heilige Theresia Nonne und später Priorin war. Nahe der Nordostecke des Mauervierecks liegt die *Puerta de San Vicente* und in ihrer Nähe die Kirche *San Vicente* (12.—15 Jh.), ein bemerkenswertes romanisches Bauwerk mit den Gräbern (Sarkophage aus der Zeit um 1200) des heiligen *Vinzenz* und seiner Schwestern.

Beim Gang an der östlichen Stadtmauer entlang kommen wir an einem mächtigen Turm, dem sogenannten *Cimorro*, vorbei, der nichts anderes ist als die einen Teil der Stadtbefestigung bildende Apsis der *Kathedrale*. Zur Besichtigung der Kathedrale betreten wir die Altstadt durch die Puerta del Alcázar und wenden uns dann nach rechts.

Mit dem Bau der Kathedrale wurde wahrscheinlich Mitte des 12. Jh. begonnen. Erst im 15. Jh. wurden die Arbeiten beendet. Der Bau war als Kirche und Festung zugleich gedacht und hat tatsächlich bis ins 16. Jh. hinein auch als Festung gedient. Die Zweiturmfassade ist, da der rechte Turm nicht vollendet wurde, ein Torso geblieben. Von den Portalen ist das an der Nordseite gelegene *Aposteltor* wegen seiner Skulpturen das wertvollste. Das Innere, das architektonisch der Romanik angehört, ist mit zahlreichen Werken späterer Kunstepochen ausgestattet. Unter ihnen sind besonders bemerkenswert: die Glasmalereien (15. und 16. Jh.) im Querschiff; in der *Capilla Mayor* der von *Berruguete* und anderen geschaffene Hochaltar (1499 bis 1508) und das von *Vasco de Zarza* stammende Renaissancegrabmal (1518) des *Tostado*; im Museum die Silbermonstranz (um 1570) von *Juan de Arfe*; der gotische Kreuzgang (14. Jh.).

Sehenswert sind ferner noch die nahe der Puerta del Alcázar außerhalb der Altstadt gelegene Kirche *San Pedro* (12./13 Jh.), die nahe der Puerta del Mariscal innerhalb der Altstadt gelegene *Capilla de Mosén Rubín de Bracamonte* (16. Jh.) und viele Paläste und Häuser, so die vier aus dem 14. und 15. Jh. stammenden *Casas de los Dávila* an der *Plaza de los Dávila* und an der *Plazuela del Rastro*.

🚉 An den Strecken von Madrid nach Irún, Santander/Gijon und Astorga.

🚌 Unter anderem nach Madrid, Salamanca und Segovia.

🏨 „Parador Nacional Raimundo de Borgoña", Canales y Chozas 16.

🏨 „Cuatro Postes"; 🏨 „Continental", Plaza de la Catedral 4; „La Extremeña", „Santa Ana".

△ Calle Telares 3 (nur für Jungen).

Information: Plaza de la Catedral 4.

Wir verlassen Ávila auf der Straße 501 und fahren durch die Ölbaumhaine der *Moraña* und über *Peñaranda de Bracomonte* nach

Salamanca (100 000 Einw.), 214 km. Die Universitäts- und Bischofsstadt und Hauptstadt der gleichnamigen Provinz liegt am Nordufer des *Tormes*, den neben der modernen Straßenbrücke der *Puente Romano* (wahrscheinlich um Christi Geburt erbaut; die 15 nördlichen Bögen stammen noch aus römischer Zeit) überspannt. Die Geschichte der Stadt beginnt in keltiberischer Zeit. Zu europäischem Ruhm gelangte Salamanca durch die 1218—42 gegründete Universität.

Vom Südufer des Tormes aus hat man einen schönen Blick auf die Stadt. Die aus goldbraunem Salamancasandstein errichteten Bauten der Altstadt, die von der eine Einheit bildenden Neuen und Alten Kathedrale überragt wird, heben sich deutlich gegen die vorwiegend aus grauem Beton erbauten modernen Gebäude ab.

Von der neuen Tormes-Brücke aus erreichen wir die *Puerta de San Pablo*, von der aus die *Calle de San Pablo* zur *Plaza Mayor* führt. Im spitzen Winkel zu dieser Straße verläuft die *Rúa Mayor* von der Plaza Mayor zum Vorplatz der Kathedrale. Im Bereich dieser beiden Straßen liegen fast alle wichtigen Sehenswürdigkeiten der Stadt.

Wir folgen der Calle de San Pablo bis zur *Bajada de Santo Domingo* (rechts), an deren Ende die Kirche *Santo Domingo* (1524—1610), die auch *San Esteban* genannt wird, steht. Der barocke Hochaltar (1693) ist ein Werk von *José Churriguera.* Im Kloster San Esteban befindet sich das Grabmal des *Herzogs von Alba* (1507—1582), der Statthalter in *Flandern* war und als solcher in *Goethes* „Egmont“ auftritt.

Die Calle de San Pablo führt weiter stadteinwärts an der rechts gelegenen *Plaza de Colón* vorbei. An ihr erhebt sich die im unteren Teil rechteckige, im oberen Teil achteckige und mit acht Türmchen geschmückte *Torre del Clavero* (Ende 15. Jh.).

Kurz vor dem Ende der Calle de San Pablo steht links die *Casa de la Salina* (1516), die heutige Provinzialverwaltung (*Diputación Provincial*).

Die in der ersten Hälfte des 18. Jh. angelegte und von Arkaden umgebene *Plaza Mayor* ist einer der schönsten Plätze Spaniens. An der Nordseite steht die *Casa Consistorial* (*Rathaus*) aus der Zeit um 1700.

Salamanca: Casa de las Conchas

Wir gehen an der Kirche *San Martín* (frühes 12. Jh.) vorbei in die *Rúa Mayor*, an der (Ecke *Calle de la Compañía*) eines der bekanntesten Häuser Salamancas steht, die *Casa de las Conchas* (1514), die ihren Namen den *Conchas* (Pilgermuscheln) verdankt, mit denen vor allem die Fassade geschmückt ist. Auch der *Patio* (Zugang von der Calle de Meléndez aus) und die Kasettendecke des Treppenhauses sind sehenswert.

Gegenüber der Casa de las Conchas steht die *Clerecía* (17. Jh.; Priesterseminar; in der Kirche ein prunkvoller Hochaltar im Stile Churrigueras).

Die Rúa Mayor endet an der *Plaza de Anaya*, an deren Südseite sich die *Neue Kathedrale* erhebt, die im wesentlichen in der ersten Hälfte des 16. Jh. von *Juan Gil de Hontañón* erbaut wurde (vollendet wurde der Bau erst im 18. Jh.). Das in Anlage und vielen Einzelformen vorwiegend gotische Bauwerk ist im Laufe der langen Bauzeit um manches platereske und barocke Stilelement bereichert worden. Plateresk ist vor allem das Westportal; die Kuppel des 110 m hohen Turmes weist Züge des Churriguerismus auf. Von der reichen Innenausstattung sind vor allem das Chorgestühl von *Alberto Churriguera*, die *Capilla Dorada* (rechtes Seitenschiff) und die Sakristei beachtenswert.

Vom rechten Seitenschiff (neben der *Capilla del Sudario*) der Neuen Kathedrale geht man hinüber in die *Alte Kathedrale*, die beim Bau der Neuen Kathedrale zu einem Teil abgerissen wurde. Die Alte Kathedrale ist ein romanischer Bau des 12. Jh., der von dem achteckigen *Torre del Gallo* überragt wird. Im Kreuzgang und in den sich anschließenden Kapellen befinden sich sehenswerte Grabmäler und andere Kunstwerke.

Gegenüber dem Portal der Neuen Kathedrale führt die kurze *Calle de Calderón de la Barca* zur *Plazuela de la Universidad*, an der die Universitätsgebäude, insbesondere die *Escuelas Mayores*, stehen. Sie stammen vorwiegend aus dem frühen 16. Jh. An den *Escuelas Menores* sind vor allem die platereksen Portale sehenswert, während die Escuelas Mayores wegen ihrer Fassade, einer der besten plateresken Arbeiten Spaniens, Beachtung verdienen.

Auf eine weitere Gruppe von Baudenkmälern stoßen wir, wenn wir von der Plaza Mayor aus durch die *Calle del*

Prior nach Westen gehen. An der *Plazuela de las Agustinas* stehen der *Palacio de Monterrey* (um 1540) und das Kloster *de las Agustinas*. In der Klosterkirche befinden sich einige gute Gemälde von *Ribera*; das bedeutendste ist das Hochaltargemälde „Unbefleckte Empfängnis" (1635).

Etwas nördlich der Plazuela de las Agustinas steht an der *Calle de Bordadores* die frühplatereske *Casa de la Muerte* (frühes 16. Jh.). Geht man von der Plazuela durch die *Calle de Ramón y Cajal* nach Westen weiter, kommt man zum ehemaligen *Colegio del Arzobispo* (heute meist *Colegio de los Irlandeses* genannt), das im 16. Jh. erbaut wurde. In der Kapelle befindet sich ein Altar mit Malereien und Skulpturen von *Alonso Berruguete*.

🚂 An den Strecken Madrid—Astorga und Irún—Lissabon.

🚌 Provinz Salamanca und Nachbarprovinzen.

🏨 „Monterrey", José Antonio 13; „Gran Hotel", Pl. Poeta Iglesias 3.

🏨 „Alfonso X", Generalisimo 48.

🏨 „Castellano", Avda. Portugal 15; „Orly", Pozo Amarillo 3.

© „Don Quijote", in *Cabrérizos*.

Information: Gran Via 11.

Lohnend ist eine Fahrt nach dem 21 km südöstlich gelegenen Städtchen

Alba de Tormes (4000 Einw.). Der Ort ist besonders vom 14.—22. Oktober das Ziel vieler Pilger, die das Grab der hl. *Theresia* (sie starb 1582 in Alba) im Karmeliterkloster besuchen. Sehenswert sind außerdem die barocke Kirche *San Pedro* (16. Jh.) und die *Torre de la Armería*, die allein von dem großartigen Palast der Herzöge von Alba übriggeblieben ist.

Alba: Karmeliterkloster

Wer von Salamanca aus nach Portugal weiterfährt, kommt über

Ciudad Rodrigo (13 000 Einw.), 303 km ab Madrid. Zu den Sehenswürdigkeiten der Stadt zählen die auf römischen Fundamenten stehenden Stadtmauern, die Kathedrale (12. bis 14. Jh.) mit dem Kreuzgang, der alle Spielarten der Gotik vom 13.—16. Jh. aufweist, und das Rathaus aus dem 16. Jh.

🏨 „Parador Nacional Enrique II", Plaza del Castillo 1.

Über *Fuentes de Oñoro* verläßt man die Provinz Salamanca und Spanien.

Wer von Salamanca aus in den Nordwesten Spaniens, zum Beispiel nach *La Coruña* oder *Santiago de Compostela*, weiterreisen will, kommt auf der Straße 630 nach

Zamora (46 000 Einw.), 276 km ab Madrid, der am Duero gelegenen altertümlichen Hauptstadt der gleichnamigen Provinz. Die auf einem Felssporn gelegene Altstadt bildet ein nach Süden gerichtetes spitzwinkliges Dreieck. In dem spitzen Winkel steht die im wesentlichen romanische *Kathedrale* (12. Jh.; nichtromanische Teile aus dem 15. und 17. Jh.) mit der byzantinisch anmutenden Kuppel, die von vier gleichfalls überkuppelten Rundtürmen flankiert wird. Im Innern verdienen besonders die *Capilla del Cardenal* mit dem Altar (15. Jh.) von *Fernando Gallego* und das dem Kreuzgang angeschlossene Museum mit flämischen Wandteppichen (15. Jh.) Beachtung.

Die Hauptstraße der Altstadt zieht sich unter wechselnden Namen von der Kathedrale nach Nordosten. An dem Abschnitt *Ramos Carrión* steht die romanische Kirche *Santa Magdalena* (13. Jh.) mit sehr beachtenswertem Südportal. An der *Plaza Mayor*, die von der Hauptstraße gekreuzt wird, verdienen das *Alte Rathaus* (frühes 16. Jh.) und die gotische Kirche *San Juan* Aufmerksamkeit. Nördlich der Plaza Mayor liegt die *Plaza de Zorilla* mit dem *Palacio de los Momos* (16. Jh.).

🚂 An der Strecke Madrid—La Coruña.

🏨 „Parador Nacional Condes de Alba y Aliste", Plaza de Cánovas.

🏨 „Cuatro Naciones", José Antonio 7.

🏨 „Suizo", Mariano Benlliure 2.

Information: Calle de Santa Clara 20.

Route 9: Madrid–León

Routenkarte siehe Seite 43

Wir fahren wie bei der Route 8 auf der N. VI von Madrid nach Villacastín und behalten dann im Gegensatz zur Route 8 die N. VI bei, auf der wir an dem etwas westlich gelegenen *Arévalo* (Burg aus dem 14. Jh. und etliche sehenswerte Kirchen) vorbei nach

Medina del Campo (15 000 Einw.), 162 km, kommen. Über dem Städtchen steht die Ruine des *Castillo de la Mota* (1440), das die kastilischen Könige, besonders *Isabella* (sie starb hier 1504) gern bewohnt haben. Eindrucksvolle Bauten sind ferner die Stiftskirche *San Antolín* (frühes 16. Jh.) und die *Casa de las Dueñas* (um 1600).

Wir fahren auf der N. VI weiter nach

Tordesillas (6000 Einw.), 185 km. In der Kolonialgeschichte ist das Städtchen durch den „Vertrag von Tordesillas" (1494) bekannt, durch den die neu entdeckte Welt zwischen Spanien und Portugal geteilt wurde. Sehenswert sind das im 14. Jh. erbaute Kloster *Santa Clara* (Mudéjarstil) und die Kirche *San Antolín* (15. Jh.) mit dem von *Juan de Juni* geschaffenen Altaraufsatz. — „Albergue Nacional de Carretera" (außerhalb).

An dem rechts der Straße gelegenen *Mota del Marqués* (Burgruine) vorbei und durch *Villalpando* (mittelalterliche Stadtmauer mit der *Puerta de San Andrés*) kommen wir nach

Benavente (11 000 Einw.), 264 km. In dem Ort stehen die romanischen Kirchen *San Juan del Mercado* (um 1180) und *Santa María del Azogue* (1170—1220; Übergang zur Frühgotik).

Über *La Bañeza*, wo anläßlich des Festes Mariä Himmelfahrt vom 14. bis 18. August zahlreiche folkloristische, kulturelle und sportliche Veranstaltungen stattfinden, erreichen wir

Astorga (10 000 Einw.), 327 km. Die hübsch gelegene, altertümliche Stadt, die schon zur Zeit der Römer „die Prächtige" genannt wurde, besitzt eine *Kathedrale* (15.—17. Jh.) mit plateresken Portalen und einem Hochaltar (um 1560) von *Gaspar Becerra*, daneben ein *Bischöfliches Palais*, das von dem höchst eigenwilligen Katalanen *Antonio Gaudí* (Erbauer der *Sagrada Familia* in *Barcelona*) in einem teilweise archaisierenden Stil 1909 erbaut worden ist.

In Astorga verlassen wir die N. VI. Auf der Straße 120 fahren wir nach

León (120 000 Einw.), 374 km. Die Stadt ist aus einem römischen Legionslager hervorgegangen. Vom 10.—13. Jh. war León die Hauptstadt des Königreichs Asturien, das nach ihr León genannt wurde. Heute ist es Provinzhauptstadt.

Innerhalb der Altstadt, die an der Nord- und Ostseite noch von den teilweise römischen Mauern umgeben ist, steht die *Kathedrale*, die vom 13. bis 15. Jh. erbaut worden ist. Sie ist ein den französischen Kathedralen in vieler Hinsicht sehr eng verwandtes gotisches Bauwerk. Ihre Westfassade ist eine Zweiturmfassade mit drei skulpturenreichen Portalen und einer großen Fensterrose. Das Innere überrascht mit herrlichen Glasmalereien aus dem 13.—17. Jh. Es ist überdies mit Kunstwerken reich ausgestattet (Chorgestühl, 15. Jh.; Grabmäler; *Capilla de Santiago*). Besonders sehenswert ist der Kreuzgang, dem ein kleines Museum angeschlossen ist.

Wir gehen auf der *Calle Generalísimo Franco* zur *Plaza de San Marcelo*, dem Mittelpunkt der Stadt (Rathaus von 1585) und dann durch die *Calle Ruiz de Salazar* zur *Plaza San Isidoro*, an deren Nordseite die Stiftskirche *San Isidoro* (11. Jh.) steht. Das romanische Gotteshaus war die Grabkirche der Könige von León; die Gräber befinden sich in der *Capilla de Santa Catalina*. In der Schatzkammer befindet sich der Schrein (12. Jh.) des hl. *Isidor* und ein kostbarer Achatkelch aus dem 11. Jh.

Madrid, Vigo, Gijón und andere.
In die Provinz und nach Madrid.
„Hostal San Marcos" (Luxus; ehemaliges Kloster), Plaza de San Marcos; „Conde Luna", Independencia 5.
„Riosol", Av. de Palencia 3.
„Reina", Puerta de la Reina 2.

Information: Plaza de la Catedral 4.

Wer Zeit hat, sollte mit der Bahn (Strecke León—Palencia) einen Ausflug nach *Sahagún* (3000 Einw.) machen, dessen romanische Kirchen, besonders *San Tirso* und *San Lorenzo*, einen Besuch wert sind. Mit dem Wagen erreicht man Sahagún auf dem Umweg über *Mayorga* (90 km je Weg).

Register